D1111191

Pourquoi les hommes marchent-ils à la gauche des femmes?

Illustrations: Michel Fleury

Données de catalogage avant publication (Canada)

Turchet, Philippe
Pourquoi les hommes marchent-ils à la gauche des femmes?: le Syndrome d'amour

1. Relations entre hommes et femmes. 2. Couples. 3. Séduction. I. Titre.

HQ801.T85 2002 306.7 C2002-940193-3

DISTRIBUTEURS EXCLUSIFS:

- Pour le Canada et les États-Unis:
  MESSAGERIES ADP*
  955, rue Amherst
  Montréal, Québec
  H2L 3K4
  Tél.: (514) 523-1182
  Télécopieur: (514) 939-0406
  * Filiale de Sogides ltée

- Pour la France et les autres pays:
  VIVENDI UNIVERSAL PUBLISHING SERVICES
  Immeuble Paryseine, 3, Allée de la Seine
  94854 Ivry Cedex
  Tél.: 01 49 59 11 89/91
  Télécopieur: 01 49 59 11 96
  Commandes: Tél.: 02 38 32 71 00
  Télécopieur: 02 38 32 71 28

- Pour la Suisse:
  VIVENDI UNIVERSAL PUBLISHING SERVICES SUISSE
  Case postale 69 - 1701 Fribourg - Suisse
  Tél.: (41-26) 460-80-60
  Télécopieur: (41-26) 460-80-68
  Internet: www.havas.ch
  Email: office@havas.ch
  DISTRIBUTION: OLF SA
  Z.I. 3, Corminbœuf
  Case postale 1061
  CH-1701 FRIBOURG
  Commandes: Tél.: (41-26) 467-53-33
  Télécopieur: (41-26) 467-54-66

- Pour la Belgique et le Luxembourg:
  VIVENDI UNIVERSAL PUBLISHING SERVICES BENELUX
  Boulevard de l'Europe 117
  B-1301 Wavre
  Tél.: (010) 42-03-20
  Télécopieur: (010) 41-20-24
  http://www.vups.be
  Email: info@vups.be

Pour en savoir davantage sur nos publications, visitez notre site: **www.edhomme.com**
Autres sites à visiter: www.edjour.com
www.edtypo.com • www.edvlb.com
www.edhexagone.com • www.edutilis.com

Dépôt légal: 1er trimestre 2002
Bibliothèque nationale du Québec

ISBN 2-7619-1654-9

L'Éditeur bénéficie du soutien de la Société de développement des entreprises culturelles du Québec pour son programme d'édition.

Nous reconnaissons l'aide financière du gouvernement du Canada par l'entremise du Programme d'aide au développement de l'industrie de l'édition (PADIÉ) pour nos activités d'édition.

PHILIPPE TURCHET

Pourquoi les hommes marchent-ils à la gauche des femmes?

Le Syndrome d'amour

Avant-propos

Construit comme un tout, ce livre représente en réalité la deuxième étape d'un travail entrepris depuis plusieurs années. Dans un premier temps, au terme de plus de 15 années d'observation du langage non verbal inconscient, j'ai rédigé *La Synergologie.* Cet ouvrage m'a permis de décrire le comportement humain à partir des micromouvements inconscients effectués par les hommes et les femmes dans le cadre de leurs relations. Bien évidemment, l'attrait ludique des observations décrites a parfois détourné le lecteur du sens second de la lecture. En réalité, je voulais essayer de montrer comment tous nos gestes, mais surtout les gestes les plus anodins et les plus inconscients, ont pris naissance il y a bien longtemps et comment ils rattachent l'être humain à sa généalogie et à son histoire. Je voulais également expliquer comment le simple fait, par exemple, de se démanger inconsciemment exprimait nos mentalités, et ce, à partir de simples gestes automatiques.

Mais ce n'est pas le succès de cet ouvrage qui explique mon désir d'approfondissement de la démarche. La deuxième étape de ce travail est effectivement programmée de plus longue date. En matière de rapports humains, l'amour est le plus profond enracinement de l'homme et de la femme à leur destin commun. Ne pas l'aborder pour lui-même aurait révélé l'aridité d'une méthode excluant le rôle du vecteur amoureux dans la construction du lien individuel et social. Je voulais donc montrer à quel point nos codes de séduction expriment la nature profonde de la relation humaine.

Au départ, ce livre devait donc dépeindre la transformation des codes amoureux humains. À la suite de *La Synergologie,* il devait décrire les non-dits du désir. Plus spécifiquement, un chapitre de ce livre devait s'appeler: *Pourquoi les hommes marchent-ils à la gauche des femmes?* Mais c'était sans compter que, chemin faisant, la rigueur des statistiques allait nous conduire par hasard à mettre le doigt sur quelque chose de beaucoup plus fondamental en fait que ce que nous pensions découvrir au départ.

Parallèlement à ce travail sur la séduction inconsciente, nous avions le désir de parler de l'amour avec tendresse et de montrer que les hommes et les femmes sont faits pour la rencontre amoureuse, faits pour le bonheur ensemble. Pourquoi d'ailleurs en douter? Pourquoi même vouloir l'écrire? Simplement parce que même si jamais dans leur histoire, ils ont eu si peu de raisons de se séparer, les hommes et les femmes se quittent davantage qu'ils ne se sont jamais quittés et vivent de plus en plus souvent seuls.

Nous étions bien loin de penser, au hasard de ce travail d'observation, que nous tomberions nez à nez sur le mal étrange et très visible dont souffre le couple occidental.

Ce mal étrange, nous l'avons rencontré dans la rue en regardant passer des hommes et des femmes au bras l'un de l'autre, sur des grandes places publiques, un peu partout en Europe et en Amérique du Nord, plus de 40000 hommes et femmes, 20000 couples, pour être vraiment exact. Ces couples n'allaient pas tous très bien, ces couples marchaient bizarrement, comme si un fil à la patte empêchait les hommes et les femmes, les uns à côté des autres, d'être vraiment eux-mêmes. Alors en les observant mieux, en les auscultant au stéthoscope statistique, nous nous sommes aperçus que leur amour souffrait d'un syndrome lancinant que nous avons identifié précisément et baptisé : le Syndrome d'amour.

Il était alors grand temps de délaisser les codes de la séduction *stricto sensu,* sans négliger tout de même au passage de conserver le témoignage de certains couples plus beaux que les autres, plus équilibrés semble-t-il. Nous espérions tirer un « contrepoison » au Syndrome d'amour des enseignements de la beauté qui émane de leur équilibre amoureux. Et effectivement, en bout de course, ces êtres en couple, ces « couples rares » ont contribué à révéler ce que nous espérions trouver.

PREMIÈRE PARTIE

Un constat : le rapport amoureux est traversé par le Syndrome d'amour

L'amour est le plus beau sentiment que l'être humain puisse éprouver. Mais c'est sans doute également celui qui est le plus paradoxal et contradictoire dans ses démonstrations. Par amour, l'homme et la femme sont capables d'une immense générosité et d'un don total d'eux-mêmes, mais c'est aussi au nom de l'amour que sont commises les pires atrocités. L'amour d'un dieu, d'un pays, d'une patrie peut permettre de voir se perpétrer en son nom les pires méfaits et les plus grands crimes. Les tribunaux sont pleins d'hommes et de femmes qui seront condamnés pour des crimes passionnels atroces en ayant pourtant plaidé leur innocence, des mots d'amour plein la bouche. Les mythes les plus romantiques, depuis le premier d'entre eux, Roméo et Juliette, sont souvent des histoires extrêmement tristes. Deux êtres meurent par amour plutôt que de vivre leur passion. Que se passe-t-il donc pour que ce sentiment si généreux possède ainsi deux faces si opposées l'une à l'autre et qu'au nom de l'amour, le sublime et l'horrible puissent ainsi se côtoyer avec tellement d'évidence ?

L'être humain recherche la fusion amoureuse et, parce qu'à un moment ou à un autre il a pu prétendre à cette fusion, il a tout à coup l'impression que la personne avec qui il est entré en relation fusionnelle lui appartient. Également, il a très vite le sentiment que s'il ne protège pas absolument la relation, elle va lui échapper. Ainsi, le plaisir engendre la crainte intense de la perte. Un même sentiment d'amour fait naître deux états contradictoires. L'être amoureux sera à la fois généreux et contrôlant, altruiste et intéressé, lascif et agressif.

Devant tant d'incohérence face à l'amour, il est tout de même permis de se demander si nous ne sommes pas en train de mélanger deux choses qui n'ont rien à voir l'une avec l'autre, soit l'amour, et le Syndrome avec lequel il va être vraisemblablement confondu. Nous le définirons et l'appellerons Syndrome d'amour.

Il ne s'agit pas là d'une question désincarnée. Les effets de l'amour vécu sous cette double forme se lisent quotidiennement lorsque nous regardons les êtres humains se promener ensemble avec quelques clés nécessaires à leur observation. Et si nous avons cru pendant longtemps que l'homme et la femme ne se comprenaient pas en raison de leurs différences biologiques et psychologiques, nous sommes sans doute à la veille de nous rendre compte que ce genre de différences entre les sexes n'expliquerait pas grand-chose dans le domaine amoureux.

Si le dialogue entre les hommes et les femmes est si difficile et rend leur vie commune si aléatoire, ce serait simplement parce qu'en croyant rencontrer l'amour, certains hommes et certaines femmes se refermeraient sur l'autre plutôt que de s'épanouir ensemble. Pensant vivre l'amour, ils seraient plutôt en contact avec son Syndrome. Posséder l'autre, et surtout ne pas le perdre, serait devenu plus important que de l'aimer vraiment. L'enjeu de la propriété se serait substitué à l'amour lui-même et au cœur du rapport amoureux, un véritable besoin de possession inconscient se mettrait en place entre les hommes et les femmes.

En d'autres termes, dès la rencontre avec l'autre, et ce le plus inconsciemment du monde, certains êtres humains, indépendamment de leur sexe, se mettraient en position d'étouffer leur couple, créant ainsi dès le début de leur idylle les conditions mêmes de leur future rupture.

Pour vérifier la validité de ce postulat et bien isoler le Syndrome d'amour de l'amour lui-même, il convient de procéder par étapes. Les théories les plus à la mode sur le rapport hommes-femmes sont sans doute celles qui, paradoxalement, empêchent de comprendre le véritable enjeu de la relation. C'est ce qu'il faut d'abord comprendre (Chapitre 1). Il s'agit ensuite de substituer un regard concret aux préjugés et croyances sur les différences entre les sexes (Chapitre 2). Enfin, l'observation de certaines caractéristiques du cerveau humain explique comment des mécanismes de contrôle inconscients modifient le comportement quotidien (Chapitre 3). Le Syndrome d'amour identifié, quatre types de couples semblent enfin pouvoir être distingués (Chapitre 4).

L'enjeu de cette première partie est de comprendre quels types de rapports les hommes et les femmes traduisent lorsqu'ils se promènent ensemble au bras les uns des autres. Nous nous donnerons ainsi les moyens de comprendre que les hommes et les femmes ne viennent pas de deux planètes différentes. Plus libres qu'ils ne l'ont jamais été, ils sont pris dans la tourmente d'une véritable crise de sens. Ils se montrent même souvent incapables de concilier leur nouvelle liberté amoureuse avec un projet de vie cohérent. Certains couples ouvrent pourtant la voie vers d'autres rapports. Ce sont des couples rares. Le mouvement de ce livre nous rapproche d'eux. Nous essayons de voir ici comment ils réfléchissent, quelles sont leurs stratégies de bonheur inconscientes et ce qu'ils pourraient bien nous apprendre sur les lendemains de l'amour.

Chapitre 1

L'HOMME ET LA FEMME S'AIMENT ET SE QUITTENT, C'EST À N'Y RIEN COMPRENDRE

L'homme et la femme s'aiment et l'homme et la femme se quittent. Le paradoxe est d'autant plus renversant que le couple de la rue est aujourd'hui parfaitement informé des difficultés à contourner pour traverser le temps. Le malaise du couple a déjà été maintes fois diagnostiqué. Des remèdes toujours plus sérieux ont été proposés au rythme où les sciences humaines apportaient leur flot nouveau de connaissances. Il serait même légitime de penser que dans ces conditions, la sagesse du couple est devenue telle que plus jamais l'homme et la femme ne seront malheureux ensemble. Armés plus que de raison pour se comprendre, ils ont toutes les raisons de déposer les armes pour se parler.

Il n'y a pas une étude, un rapport, une statistique qui ne dise que l'homme et la femme sont toujours autant avides du « grand amour ». Nous pourrions d'ailleurs en rester là, bercés par une histoire planétaire merveilleuse, l'histoire d'une rencontre, depuis Adam et Ève jusqu'aux couples les plus mythiques : Samson et Dalila, César et Cléopâtre, Héloïse et Abélard, Tristan et

Iseult, le chevalier du Mesnil et Madame de Staël, Paul et Virginie, le chevalier des Grieux et Manon Lescault, Valmont et Merteuil, Sand et Musset, Aragon et Elsa, John Lennon et Yoko Ono, Picasso et Jacqueline Roques, Dali et Gala. Vous et l'Autre. N'en jetons plus, la coupe est pleine. Non, la coupe ne sera jamais pleine de belles histoires d'amour. Et pourtant, pourtant.

Dans les pays développés, jamais autant d'hommes et de femmes ne se sont trouvés aussi nombreux à vivre seuls. Jamais le nombre des divorces n'a été aussi important. Jamais la natalité, reflet de l'engagement amoureux, n'a été aussi basse. Jamais le nombre de mariages n'a été aussi peu élevé. Jamais, jamais, jamais. Que se passe-t-il pour qu'il y ait si loin de la coupe aux lèvres et qu'entre le désir de rencontrer l'Autre et la réalité du couple actuel, un tel fossé se soit formé?

À bien y réfléchir, à écouter les «vieux», le problème est dans la rencontre elle-même. Les gens ne se rencontrent plus. Mais là encore, nous savons bien que ce n'est pas vrai.

Il y a 100 ans environ, la bicyclette permettait aux hommes et aux femmes d'entrer dans une nouvelle ère de rencontre, de «pédaler» les uns vers les autres, d'aller jusqu'au village voisin pour y rencontrer de nouveaux visages et de nouveaux mondes. Aujourd'hui, jamais les moyens de locomotion modernes et de communication n'ont été aussi développés. Ils permettent une pluralité des niveaux de rencontre, l'Internet et le courrier électronique constituant les derniers médias d'une course à l'échange démultipliée.

Sans pour autant formuler un jugement, il faut bien se résoudre au constat suivant. Si les hommes et les femmes semblent avoir tous les moyens pour vivre un éden amoureux partagé, les hommes et les femmes vivent leur solitude sans enchantement; et ce, malgré tous les discours, malgré toutes les théories, malgré eux. Que faire, si nous voulons essayer de comprendre cette solitude?

Faut-il se ranger du côté des théories qui opposent physiologiquement les hommes et les femmes et les conduisent à se convaincre que leurs différences biologiques les empêchent de se comprendre: «*si les hommes et les femmes se quittent, c'est parce que les hommes ne sont pas assez ceci... c'est parce que les femmes sont trop cela...*». L'explication de la crise du couple par les différences hommes-femmes est un peu trop simple pour être vraiment convaincante. D'autant que certains couples plus vigilants, plus attentifs que d'autres à assurer la qualité de leur amour existent. Peu nombreux, ce sont des «couples rares». Il suffit de marcher dans leurs traces pour comprendre alors que ce n'est pas parce qu'ils sont différents ou qu'ils vivent des réalités différentes que les hommes et les femmes se quittent. Ils ne se quittent pas non plus à cause de leurs états d'âme. Les hommes et les femmes se quittent pour bien autre chose.

Essayons de comprendre.

LE POINT DE DÉPART DE L'ENQUÊTE AUTOUR DE CE COUPLE QUI S'EST PERDU

Envisagées sous l'angle du bon sens, les choses sont claires et une explication très en vogue court d'ailleurs dans l'inconscient collectif. Elle expliquerait la difficulté actuelle des hommes et des femmes à se comprendre: *au cours des temps, l'homme et la femme sont devenus de plus en plus différents.*

Comme nous allons le voir, cette explication est soutenue par une croyance dont le succès a été assuré par la simplicité de son énoncé. Mais cette unanimité des consciences donne pourtant envie de se demander à qui profite l'explication: le couple est en crise parce que les hommes et les femmes sont différents? Cette impossible communion entre les sexes est-elle une réalité ou n'est-elle pas plutôt un mythe savamment entretenu?

Revenons sur cette croyance très en vogue.

La vigueur d'une croyance: l'homme et la femme se sont éloignés l'un de l'autre à cause des particularités de leurs deux cerveaux!

Des chercheurs-écrivains célèbres depuis lors[1], rivalisant d'ingéniosité, ont observé l'homme et la femme en les mettant l'un à côté de l'autre. Leur verdict est sans appel: l'homme et la femme sont différents. Cette déduction audacieuse serait sans doute directement partie dans les oubliettes théoriques si la lumière du marketing n'était pas venue illuminer ces chercheurs. Dans une version Nouvel Âge, ils nous refont le coup célèbre du petit garçon né dans un chou et de la petite fille née dans une rose et ça marche: les hommes viennent de Mars et les femmes de Vénus[2]. Génial!

La communication réciproque entre la femme et l'homme est définitivement impossible; ils sont à des années-lumière l'un de l'autre.

Dans leurs écrits, ne cherchez pas comment les hommes et les femmes font pour se comprendre, ils n'y parviennent pas vraiment. Hommes et femmes doivent se résigner à admettre que leurs *différences* les coupent l'un de l'autre, qu'elles *les opposent*. La «différence» devenue «opposition», il ne reste qu'à surfer sur la vague du glissement de sens, ce que ces gens font très bien. La force de cette théorie réside dans sa simplicité. Elle est si facile à défendre qu'elle a fait de nombreux émules depuis sa diffusion[3].

Le cerveau et le corps de l'homme et de la femme sont différents. Il ne s'agit pas de nier l'évidence. Ce qui est moins clair et plus contestable, c'est de partir de cette différence pour argumenter ensuite autour de l'incompréhension entre les sexes. *En quoi le fait d'être différent empêcherait-il l'homme et la femme de se comprendre et de s'aimer sincèrement ?*

Pour les tenants des différences cérébrales, l'homme saurait lire les cartes routières et pas la femme. Par contre, celle-ci aurait davantage de facilité à entrer en communication et à développer des échanges[4]. Eh bien ! n'en déplaise à ces auteurs, quantité de femmes affichent certaines caractéristiques du comportement masculin. Inversement, un nombre égal d'hommes adoptent des attitudes traditionnellement associées à la femme. Dans nombre de situations où elles évoluent dans le même environnement, les femmes n'utilisent pas leur cerveau d'une manière très différente des hommes. Des tas de cerveaux dits « mixtes », c'est-à-dire mi-masculins mi-féminins, montrent que les deux sexes fonctionnent souvent de manière similaire. Et puis, s'agissant des différences spatiales innées entre les hommes et les femmes, de sérieux contre-arguments fusent dans la communauté scientifique. Les aptitudes spatiales différentes ne sont pas décelables avant l'adolescence. Elles sont plus ou moins accentuées selon les cultures et elles n'arrêtent pas de se résorber depuis que les femmes sont entrées massivement dans la vie professionnelle.

Il nous est encore expliqué que les hommes aimeraient davantage s'adonner au bricolage que les femmes parce qu'ils auraient davantage d'aptitudes cérébrales liées à ce type d'activité. Or, depuis que les femmes vivent seules, allez voir un peu si elles ne se sont pas mises au bricolage, une activité a priori spécifiquement masculine. Par exemple, en France, en 30 ans, le nombre de femmes seules a doublé et en 30 ans, le temps que ces dernières consacrent au bricolage a également doublé. En fait, elles sont exactement comme les hommes. Il y a celles qui vont se mettre à bricoler et celles qui ne bricoleront jamais, celles qui le feront par choix, parce qu'elles ne peuvent pas s'en passer, et celles qui le feront parce qu'elles ne peuvent pas faire autrement.

En réalité, tous les ouvrages écrits par les adeptes de la différence cérébrale empruntent la même démarche. Ils utilisent tous le même type d'argumentation. Empruntant généralement un exemple à l'univers domestique, ils énoncent ensuite des tas de généralités à partir de cet exemple. Leur mode d'argumentation est toujours le même:

Depuis un certain temps, je me dispute de plus en plus sérieusement avec mon conjoint, ma conjointe, c'est donc la preuve que les hommes et les femmes ne sont pas faits pour vivre ensemble.

Les différences entre l'homme et la femme sont toujours là pour opposer, jamais pour rassembler. N'est-ce pas d'ailleurs comme cela que sont presque toujours utilisées les différences: établir des lignes de rupture plutôt que de permettre des rassemblements? Les ardents défenseurs de la différence des cerveaux ont ainsi forgé une preuve d'une simplicité effrayante: face aux mêmes situations, les hommes et les femmes réagissent différemment. La belle affaire!

Les différences entre l'homme et la femme, vraisemblablement, sont nées dans la nuit des temps il y a plus de huit millions d'années. À cette date, l'homme et la femme se sont partagé l'univers social dans un souci de meilleure adaptation et de survie de l'espèce. Aujourd'hui, des centaines de siècles plus tard, au fondement du rapport social[5], et mieux encore, au cœur même de leur sexualité, les enjeux de pouvoir n'ont fait que transformer le rapport amoureux en un champ de bataille incontournable.

L'homme nous est présenté comme un être rustaud, la peau tannée au soleil, le cœur sec et dur, le cerveau autocentré sur la chasse et le gibier à plumes. D'ailleurs, il est écrit très sérieusement dans certains ouvrages à très fort tirage que sur certaines zones de son corps, la peau de l'homme est 10 fois moins sensible que celle de la femme[6]. Oui, vous avez bien lu, la peau de la femme est d'une sensibilité 10 fois supérieure à celle de l'homme *(sic)* ! Selon ces auteurs qui sont des irréductibles de la différence sexuelle, l'homme aurait besoin de sexe pour éprouver de l'amour et la femme, besoin d'amour pour désirer du sexe[7]. Mais ne serait-il pas plus simple de dire qu'hommes et femmes ont besoin d'amour et de sexe, que chez certains, amour et sexe se confondent et pas chez d'autres ? Ne serait-ce pas une position intellectuellement plus honnête plutôt que de faire des hommes et des femmes deux grandes catégories, opposées l'une à l'autre, sans qu'on sache vraiment pourquoi ?

Mais pourquoi ces thèses ont-elles donc tant de succès ? À qui profite le crime ?

En réalité, si les oppositions entre les hommes et les femmes font tellement recette, c'est parce qu'un accord tacite les a rendues très digestes. Il permet à chaque sexe de se retirer derrière ces différences génétiques, ces spécificités corporelles, lorsqu'il deviendrait épineux d'entrer vraiment en communication et qu'il serait pourtant tellement nécessaire de faire l'effort de travailler ensemble sur les mauvaises habitudes renforcées encore par nos comportements actuels.

Le crime profite donc à tous ceux qui désirent établir une différence-rupture entre les hommes et les femmes. Il est toujours plus facile de mettre la vaisselle cassée, la mauvaise foi ou encore ses propres écarts de comportement sur le compte du cerveau de l'autre plutôt que sur le compte de sa propre attitude. La part de la responsabilité personnelle en matière de mauvaise qualité de dialogue est ainsi écartée. De la sorte, les hommes et les femmes n'auront peut-être jamais l'occasion de se dire que, foncièrement, ils se ressemblent. L'air du temps les exclut d'un paradis à partager à deux: «Ils sont si différents.» Ils semblent donc condamnés à sortir la poubelle chacun leur tour, désespérant du manque de reconnaissance de l'autre, de son manque de compassion. L'homme et la femme, c'est une transformation du mythe de Sisyphe*. Le rocher est hissé avec effort au sommet de la montagne et, lorsque tout laisse à penser que les rapports vont s'équilibrer, à force de dialogue et d'amour, le rocher retombe. L'homme n'est pas la femme, la femme n'est pas l'homme. Au bout du compte, ils sont si différents que la compréhension de l'autre ne sera jamais vraiment mutuelle.

Le message de ces auteurs est pourtant trop peu satisfaisant pour que les hommes et les femmes «honnêtes», soucieux de se regarder et de s'aimer sincèrement, ne finissent pas par se dire que les choses peuvent se poser dans un cadre différent. D'autant que ces théories «à la mode» sur la différence, cause de discorde, ne tiennent pas du tout face à quelques faits simples.

* Mythe de Sisyphe: Absurde lié à la condition humaine pour laquelle tout n'est jamais qu'un éternel recommencement, un impossible aboutissement.

Quelques contre-exemples aux théories de la discorde des cerveaux et des conditionnements sociaux

L'opposition entre l'homme et la femme est aussi claire que caricaturale: les hommes et les femmes ont un cerveau différent. Ils vivent des conditionnements différents, c'est la cause du malheur de leur couple. Oui, mais malheureusement: *Si les hommes et les femmes ont un cerveau différent, les droitiers et les gauchers aussi!* Or, essayez d'aller raconter à vos amis que vous avez rompu avec votre partenaire parce qu'il ou elle n'est pas latéralisé(e) comme vous, parce qu'il ou elle est droitier ou gauchère et pas vous. Pensez-vous qu'ils trouveront votre explication suffisante et véritablement convaincante?

Les hommes et les femmes ont un cerveau différent l'un de l'autre et se quittent pour cette raison! Si la véritable raison du désaccord entre les deux sexes résidait dans la configuration du cerveau, il va sans dire que les couples homosexuels auraient la chance d'être parfaitement heureux parce que les individus qui les composent ont un cerveau et un sexe semblables. Or, dans la réalité, il s'avère que les couples homosexuels ne sont pas différents des couples hétérosexuels. En effet, ils rencontrent les mêmes problèmes, n'ont pas moins de difficultés à se comprendre que ces derniers et ne se quittent pas moins qu'eux.

Les réactions hormonales expriment nos différences! Là encore, l'homosexualité est un bon contre-exemple. Il a été souvent reproché aux homosexuels de posséder les hormones de l'autre sexe et d'être ainsi conditionnés à rechercher leur propre sexe. Un comportement «différent» serait expliqué par un fonctionnement hormonal «différent». Mais là encore, nous savons que ce n'est pas vrai[8]. Des études réalisées auprès d'homosexuels mâles montrent qu'ils ont des taux d'hormones mâles tout à fait conformes, voire légèrement supérieurs à la moyenne des hommes. D'ailleurs, des injections de ces hormones ont tendance à renforcer leur homosexualité, exactement de la même manière que les injections d'hormones mâles renforceront l'hétérosexualité des hommes hétérosexuels[9].

Les hommes et les femmes ont vécu le poids de conditionnements sociaux différents qui les empêchent de se comprendre. Or, depuis 30 ans, dans les grands pays industrialisés, les femmes sont entrées massivement sur le marché du travail. Les conditions de vie des sexes n'ont jamais été aussi proches dans l'histoire moderne du monde occidental. Les univers éducatifs et professionnels n'ont jamais été aussi mixtes et les compétences féminines n'ont jamais été autant reconnues (même si du chemin reste à faire, mais là n'est pas la question). Les hommes et les femmes n'ont jamais eu autant de raisons de nouer un dialogue de la meilleure qualité qui soit et pourtant, les hommes et les femmes ne se sont jamais autant quittés qu'aujourd'hui! D'ailleurs, les femmes de niveaux socioculturels élevés, celles qui occupent des postes où elles assument de plus fortes responsabilités et qui vivent les vies professionnelles les plus harmonieuses, équilibrées et égalitaires avec leurs collègues masculins, sont également celles qui, parmi toutes les catégories professionnelles, vivent le plus souvent seules.

Pour résumer, l'homme et la femme s'aiment, mais l'homme et la femme ont de plus en plus de difficultés à vivre en couple. Ils ne se quittent pas parce que, pour faire l'analyse des mêmes problèmes, leurs cerveaux sont différents. Les droitiers et les gauchers ont aussi des cerveaux différents et il ne semble pas que cela constitue une ligne de friction entre ces êtres. Dans les couples homosexuels, deux cerveaux et deux corps semblables cohabitent; pourtant, les homosexuels ne se quittent pas moins que les hétérosexuels. Les hommes et les femmes ne se quittent pas non plus simplement parce qu'ils vivraient des conditionnements différents. Leurs conditions de vie dans l'histoire de l'humanité n'ont jamais rapproché les deux sexes autant qu'elles les rapprochent aujourd'hui.

L'homme et la femme sont différents, mais ça, ils le savaient bien avant de se rencontrer. Pourtant, l'homme et la femme se sont aimés par-delà leurs différences, avec elles, parfois grâce à elles, persuadés même que ces différences pouvaient les renforcer, faire grandir leur couple, l'humaniser. «Il m'apporte tellement…», «Elle est tellement différente…» Ils ne se quittent donc pas parce que l'herbe est plus verte ailleurs. Ils savaient en se rencontrant que l'herbe est toujours plus verte ailleurs. Non, les hommes et les femmes se quittent pour bien autre chose.

Pour mieux comprendre les raisons de ces ruptures, il ne s'agit pas ici de visiter une énième fois les cerveaux et de refaire l'historique des conditionnements sociaux, mais peut-être simplement, au contraire, de chausser d'autres lunettes et de prendre un peu de distance.

Chapitre 2

L'AMOUR EST UN AIMANT, IL PROPULSE L'HOMME À LA GAUCHE DE LA FEMME, LA FEMME À LA DROITE DE L'HOMME

Les hommes et les femmes s'aiment et malgré tout, les hommes et les femmes ont de plus en plus de difficultés à vivre ensemble. Ils ne se quittent pas parce qu'ils sont différents. Ils se quittent d'abord parce que le monde change et qu'il leur faut trouver d'autres raisons de vivre ensemble que par le passé. Ils se quittent ensuite parce qu'eux-mêmes changent. Jusqu'aux deux dernières guerres mondiales, tous les couples s'inscrivaient dans la même «icône» traditionnelle de la famille. L'homme travaillait à l'extérieur, la femme s'occupait davantage de la maison et des enfants. Mais les deux dernières guerres mondiales ont amené les femmes à occuper une place dans l'univers économique et social de la production. Depuis, elles n'en sont jamais ressorties.

La femme a acquis aujourd'hui une reconnaissance professionnelle, un statut d'indépendance financière. Il n'est pas déraisonnable de penser que corrélativement, elle ait des attentes et des besoins nouveaux sur le plan affectif. Dans les faits, la femme mène une double vie, à la fois personnelle et professionnelle. Elle contribue à part souvent égale et parfois supérieure à l'assise financière du foyer. Il est par conséquent légitime que la femme attende en retour une relation plus équilibrée que dans le passé.

Une fois de plus, les difficultés relationnelles du couple sont incompréhensibles si elles sont justifiées par l'opposition entre des valeurs «masculines» et des valeurs «féminines», alors qu'au contraire, les statuts et les modes de vie des deux sexes ont tellement tendance à s'uniformiser. Si le modèle du couple change, c'est parce qu'il est en réalité trop à l'étroit dans le standard bâti par les générations précédentes. Lorsque nous écoutons les deux sexes, l'homme semble avoir des attentes que la femme ne remplit pas et, de son côté, la femme a des attentes que l'homme ne remplit pas. L'homme a dans son esprit une image stéréotypée de la femme «idéale», de celle qui, sans doute, ressemble aux modèles de femmes au foyer dont s'est abreuvé son imaginaire alors qu'il était enfant. Cette image lui a été léguée par son éducation et son milieu. C'est donc ce modèle traditionnel qu'il s'attend à rencontrer et à aimer. Avec cette femme «idéale», il voudrait construire le couple «idéal». Il a donc beaucoup de difficultés à comprendre la femme indépendante de notre monde contemporain.

De son côté, la femme, forte de son statut économique, social, professionnel, attend de l'homme une reconnaissance afférente à son nouveau statut, une forme de reconnaissance légitime que ne revendiquaient pas les femmes des générations précédentes. Elle attend de lui qu'il formule de nouvelles propositions de vie afin de créer avec cet homme «idéal» le «couple de demain».

Ils ont ainsi chacun de son côté fantasmé une image idéale du couple. Cependant, ni l'un ni l'autre ne réussit réellement à faire coïncider cette «image idéale» avec la réalité de «son» propre couple, et ce n'est pas un hasard. Le rapport hommes-femmes semble en effet avoir davantage évolué durant les 50 dernières années qu'au cours des 5000 années précédentes. Entre les hommes et les femmes, de nouveaux repères sont à redéfinir entièrement.

Le couple souffre de ce besoin d'indépendance féminine ou plutôt d'autonomisation de la femme. L'homme ne parvient plus à affirmer le prestige de chef qu'il détient de ses aïeux et ce, approximativement depuis le paléolithique supérieur, soit entre 35000 et 80000 ans environ avant notre ère.

Or, toute l'importance des non-dits, l'évocation des mal-être transparaît dans les détails du langage corporel. Celui-ci reflète la part inconsciente de la communication. Si le couple est si mal en point, il n'est pas possible que cela ne se traduise pas visuellement d'une manière ou d'une autre. En d'autres termes, les corps des êtres en couple parleront forcément, si elle existe, de la difficulté de l'homme et de la femme à se comprendre. C'est ce que nous allons essayer de voir.

QUAND LES ATTITUDES CORPORELLES DES HOMMES ET DES FEMMES PARLENT MIEUX DU COUPLE QUE LES MOTS

La volonté d'indépendance féminine et le besoin de l'homme de comprendre et de contrôler cette forme d'indépendance laissent des traces physiques sur le couple. La redéfinition pour l'homme de la mission de «chef», alors que ses prérogatives se sont clairement émoussées, se manifeste dans son attitude lorsqu'il se promène avec «sa» femme. Dans les faits, le langage du corps de l'être humain est toujours plus parlant que ne le sont ses mots. Et comme, dans la rue, l'homme et la femme se promènent en couple, plutôt que d'écouter le discours parlé des hommes et des femmes, pourquoi ne pas tenter de les comprendre à travers le langage de leurs corps? Ainsi, plutôt que de nous laisser enfermer dans un cadre théorique, regardons plutôt ce que ce couple de la rue nous apprend, lorsque nous le regardons.

Dans la rue, en se promenant, les hommes et les femmes livrent en fait les indices inconscients de leur histoire de couple. La proximité physique parle de l'amour bien mieux que tous les discours sur l'homme et la femme. Dans la rue, au bras l'un de l'autre, dans l'anonymat de vastes lieux publics, l'homme et la femme se disent en s'effleurant ce qu'ils vivent en s'aimant. L'observation de leurs attitudes corporelles[1] conjointes révèle leurs pensées. Si des comportements stéréotypés apparaissent, il se peut également que les couples expriment, à travers des réflexes conditionnés, leur conditionnement amoureux.

Les êtres proches sont proches dans la vie et ils sont également plus proches dans la rue que des inconnus[2]. Mais un œil observateur peut voir autre chose, surtout si préalablement l'observateur a pris le temps d'écouter ce que disent l'homme et la femme, l'un de l'autre. Nombre d'hommes et de femmes qui vivent seuls expliquent qu'en couple, ils étouffent. Ces paroles traduisent un désir de liberté. L'homme et la femme déambulant dans la rue en couple, sans bruit, montrent à travers leurs deux corps en contact la réalité d'un véritable rapport de propriété. C'est peut-être la raison pour laquelle ils se fuient l'un l'autre. Le partage amoureux serait difficile parce qu'il se situerait au cœur d'une incapacité à vivre la liberté au sein du couple. Si cela est le cas, les couples dans la rue nous livreront des indices clairs, par leur façon même de se comporter, de se *prendre* le bras, de se *donner* la main, de se *tenir* par la taille et de manifester par la gestuelle le sentiment «d'appartenir» ou non l'un à l'autre, de dire: c'est *mon* mari ou *ma* femme.

En d'autres termes, ce ne serait pas parce que l'homme et la femme sont différents que l'homme et la femme vivent en désaccord, mais parce qu'ils refusent d'être possédés par l'autre, parce qu'ils refusent de devenir la propriété de l'autre.

L'observation du couple dans la rue devrait ainsi nous fournir les clés indispensables pour comprendre pourquoi l'homme et la femme s'aiment et se quittent. Tout cela devrait même sembler assez clair sans que nous ayons besoin de recourir à un discours sur les différences génétiques ou psychosociales.

LORSQUE LE COUPLE SE DONNE EN SPECTACLE DANS LA RUE

Mais d'abord, pourquoi descendre dans la rue quand tellement de lieux plus consensuels permettent d'observer le couple? Le macadam n'est pas aussi propice aux démonstrations affectives que le sont d'autres lieux plus privés ou intimes. La rue n'est pas aussi érotisée que peut l'être parfois l'univers du restaurant et, mieux encore, évidemment, l'espace nuptial de la chambre à coucher. Si elle n'est pas a priori un sanctuaire pour le couple, elle possède en revanche un autre avantage que ne possède aucun autre lieu: la rue est le lieu du *lien* amoureux.

Dans la rue, les êtres qui se prennent la main, le bras, l'épaule... se touchent. Ils décident, inconsciemment mais réellement, d'établir ou de ne pas établir un lien corporel réel entre eux. Dans la rue, ce que nous appelons «le lien amoureux» n'est plus tout à coup une métaphore. Parce que deux personnes décident ou non d'établir un contact physique, un lien existe. (Pour connaître les règles méthodologiques de l'analyse, le lecteur peut consulter l'annexe 1.)

Dans la rue, les enjeux amoureux sont décuplés. Elle agit comme un révélateur inconscient des sentiments du couple. L'homme et la femme anonymes laissent transparaître leurs états d'âme, leurs sentiments et leurs peurs sans les cacher. Dans un espace ouvert, chacun peut tout à coup s'échapper puisqu'il est beaucoup plus libre que dans l'espace intérieur d'une résidence privée. Dans la rue, surtout s'il est loin de chez lui, chacun est anonyme. La rue, c'est également l'inconnu, à tel point d'ailleurs que le cœur passe de 80 à 130 pulsations par minute lorsque l'être humain actionne simplement la poignée de la porte de chez lui pour sortir dans la rue. Le stress généré par l'entrée en contact avec un univers où tout n'est plus sous contrôle contraint les hommes et les femmes à s'adapter. Cette adaptation inconsciente est vécue comme un mini-traumatisme psychique, même si ces êtres sont par ailleurs très équilibrés. Parce que dans la rue, l'homme et la femme s'adaptent pour ne pas se perdre, les angoisses nées de leurs peurs respectives se révèlent. Dès lors, leurs manières d'être et tous leurs micromouvements ou microdéplacements sont autant révélateurs de leurs désirs que de leurs appréhensions.

Les hommes marchent à la gauche des femmes

L'étude du langage non verbal inconscient permet de lire sur leur corps les émotions des êtres humains. Ces émotions éprouvées sont intégrées par le cerveau. Or, c'est grâce aux ordres donnés par ce même cerveau que les êtres humains se situent dans l'espace et se déplacent.
Le cerveau traduit leurs sentiments lorsque l'homme et la femme marchent l'un à côté de l'autre. Ils s'adaptent à la modification de leur environnement. Il se passe alors entre eux un phénomène très significatif qui ne peut en aucun cas être lié au hasard. Lorsque l'homme et la femme se déplacent librement ensemble, l'un à côté de l'autre, sans aucun lien physique, les hommes se tiennent légèrement plus à la gauche des femmes et les femmes à la droite des hommes.

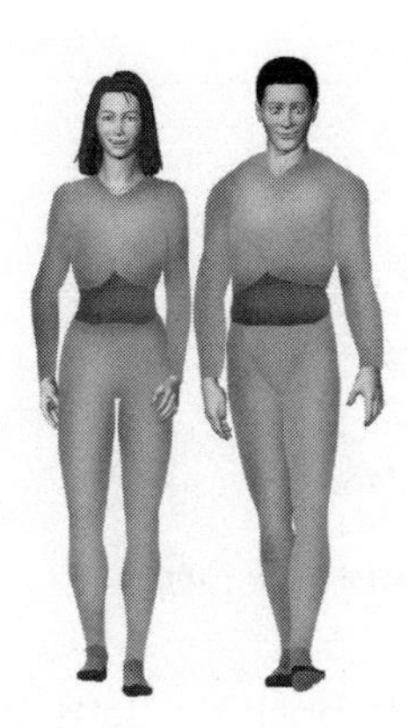

Hommes et femmes marchant librement l'un à côté de l'autre.

53 % d'hommes marchent à la gauche de la femme.

Dans 53 % des situations observées dans lesquelles les hommes et les femmes marchent l'un à côté de l'autre, sans entretenir de lien physique identifié, les hommes marchent à la gauche des femmes.

Sur 20000 couples observés, l'écart entre l'attitude masculine et l'attitude féminine est trop important pour qu'il s'agisse statistiquement d'un simple hasard. Pour que le hasard puisse être légitimement invoqué, il faudrait que dans 50% des situations, les hommes marchent à la gauche des femmes et que dans les 50% d'autres situations, les femmes marchent à la gauche des hommes. Un phénomène lancinant, transformant la relation, est sans doute en œuvre. Mais en même temps, cet écart n'est pas suffisamment significatif pour que l'on puisse en tirer une conclusion générale ou définitive. Observons maintenant attentivement une autre attitude, celle où l'homme et la femme sont enlacés.

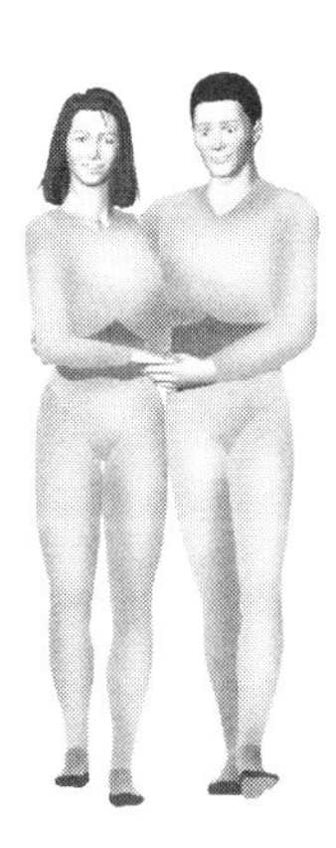

Hommes et femmes enlacés

73% d'hommes marchent à la gauche de la femme.

L'enlacement a été défini comme la position dans laquelle les deux mains de l'homme touchent les mains ou le corps de la femme, les deux mains de la femme touchent les mains ou le corps de l'homme.

Alors que précédemment, dans 53 % de situations (3 % d'écart par rapport au hasard absolu), les hommes marchaient à la gauche des femmes, ici il y a 73 % de situations dans lesquelles l'homme se tient à la gauche de la femme, la femme à la droite de l'homme (23 % d'écart par rapport au hasard absolu).

L'écart de départ qui faisait qu'hommes et femmes ne se portaient pas exactement pour un sur deux à la gauche et à la droite l'un de l'autre a été multiplié pratiquement par 8 (23 : 3) dans la position amoureuse la plus chaleureuse entre eux, celle de l'enlacement.

L'enlacement est la plus fusionnelle des positions amoureuses. Les êtres montrent à tous leurs sentiments lorsqu'ils marchent dans la rue enlacés de la sorte. Dans cette situation « d'enchaînement volontaire », l'homme et la femme cloisonnent leur intimité face à l'extérieur. Ici, rien n'a plus d'importance pour le couple que d'être à son amour. Le désir de l'autre est très fort. C'est également dans cette position que l'homme marche le plus à la gauche de la femme, la femme à la droite de l'homme. Le lien d'amour est a priori partagé sans ambiguïté. Les deux êtres font, l'un avec l'autre, l'action de se rencontrer avec leurs deux mains.

Près d'un homme sur deux jusque-là à droite,
près d'une femme sur deux jusque-là à gauche
changent de position dans l'espace
dès qu'ils deviennent un couple identifié.

Lorsque l'homme et la femme sont enlacés dans l'espace de la rue, trois hommes sur quatre se trouvent totalement inconsciemment placés à la gauche de trois femmes sur quatre. Ainsi, dans la rue, en s'enlaçant, l'homme et la femme ne montrent pas simplement qu'ils s'aiment, mais ils traduisent également leur amour par un basculement de leur corps dans l'espace.

Plus les hommes et les femmes traduisent dans l'espace
leur ferveur amoureuse,
plus les hommes vont se tenir à la gauche des femmes,
les femmes à la droite des hommes.

Ce déplacement des hommes vers la gauche, des femmes vers la droite s'est effectué petit à petit, à mesure:

- qu'ils marchaient l'un à côté de l'autre (+ 6,2 %),
- qu'ils se prenaient par la main (+ 15 %),
- qu'ils se prenaient par le bras (+ 16,4%)
- qu'ils se tenaient bras dessus bras dessous (+ 20 %),
- qu'ils se tenaient par le bassin (+ 28,4 %),
- qu'ils se tenaient par l'épaule (+ 34,4 %),
- et enfin qu'ils s'enlaçaient (+ 46,8 %[3]).

Que se produit-il lorsque les êtres s'aiment ?
Leur métabolisme se modifie.
L'espace de la liberté intérieure se modifie.
L'impact de l'existence de l'autre modifie la perception
de son propre rôle dans l'espace.

Lorsque deux êtres se désirent et le traduisent dans la rue, un déplacement latéral inconscient, et pour tout dire totalement incompréhensible, se déroule sous nos yeux. Ce déplacement inconscient dans l'espace est pourtant la réponse à un réflexe identifié. Plus loin, nous verrons laquelle. Pour le moment, demandons-nous d'abord si ce déplacement dans l'espace est plutôt le fait de l'homme ou plutôt le fait de la femme.

Des hommes et des femmes libres face à leurs désirs

Si l'homme et la femme sont si différents l'un de l'autre, il pourrait apparaître clairement qu'un des deux sexes cherche à imposer à l'autre, avec son déplacement latéral, une forme de domination. Ce serait même logique. L'homme pourrait décider de se placer, par choix, à la gauche de la femme à mesure qu'il cherche à traduire sa ferveur amoureuse. Mais il serait également possible que la femme décide de se déporter à la droite de l'homme lorsqu'elle se sent davantage «aimée» ou davantage «amoureuse». La volonté de conquête ou de défi d'un sexe face à l'autre, la ferveur et le désir, s'ils sont une réalité, doivent pouvoir se lire dans l'espace. Il suffit simplement de trouver le moyen de les mesurer.

La vie urbaine permet de distinguer les désirs masculins des désirs féminins à une occasion précise: lorsque l'homme ou la femme promène le bébé du couple dans une poussette. En effet, lorsqu'un des deux êtres, homme ou femme, promène une poussette, en règle générale, l'autre se détache de lui. Ainsi, lorsque le premier membre du couple est «occupé» avec la poussette, le second membre du couple est à peu près totalement libre de ses mouvements. La forme même des «guidons» de la poussette contraint les deux membres du couple, s'ils sont en contact, à pousser ensemble la poussette. Or, cette pratique est relativement peu confortable. Pour cette raison, lorsque l'homme ou la femme s'occupe de bébé, l'autre a tendance à se mettre très légèrement à l'écart, légèrement à côté. Il peut ainsi tout à sa guise se placer à la droite ou à la gauche de son ou sa partenaire, *indépendamment* de l'autre. En fait, les choses sont claires. La réaction des hommes et des femmes est presque absolument symétrique. Les hommes se déportent à gauche et les femmes se déportent à droite. Ils sont le miroir presque absolu l'un de l'autre. En effet, quand la femme pousse une poussette, son conjoint, entièrement libre de ses mouvements, se porte à sa gauche (84 %).

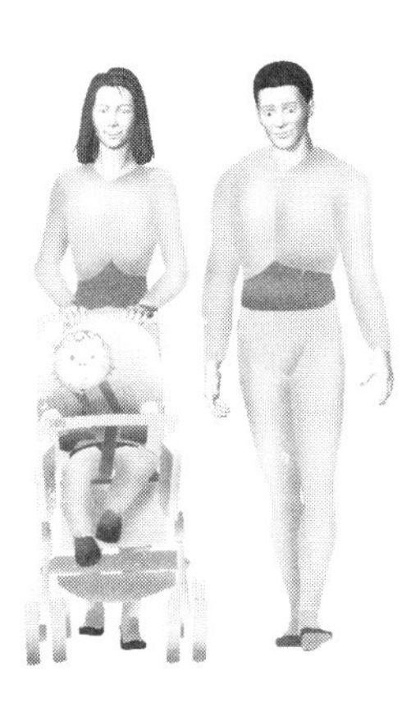

La femme pousse la poussette, l'homme se tient à côté d'elle sans la toucher.

Dans 84 % des situations, l'homme se tient à gauche, la femme à droite.

En revanche, si c'est la femme qui est libre de ses mouvements, pendant que l'homme pousse la poussette, elle se place à sa droite (81 %).

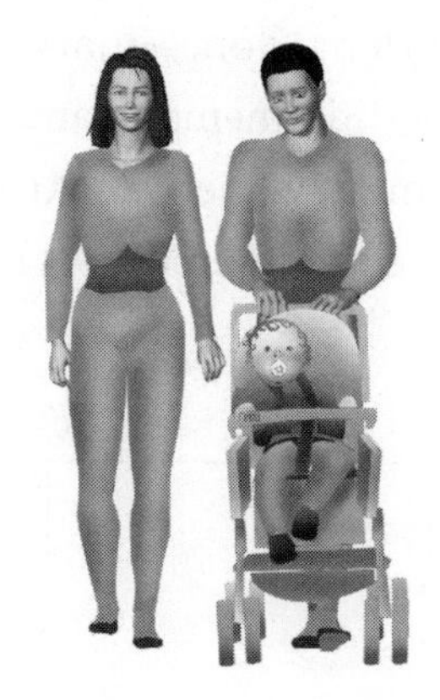

L'homme pousse la poussette, la femme se tient à côté de lui sans la toucher.

Dans 81 % des situations, l'homme se tient à gauche.

Les pourcentages sont très élevés: 84% et 81%. La distorsion statistique de l'homme à gauche et de la femme à droite est très importante. Le conditionnement est très fort. Il faut dire que le couple vit un enjeu important lorsqu'un nouveau-né est au centre du rapport.

La promenade d'un bébé est l'occasion de montrer que l'homme et la femme font très inconsciemment, mais assez systématiquement, les mêmes choix dans l'espace[4]. Un désir conjoint de se positionner dans l'espace, pour l'homme à gauche de «sa» femme, pour la femme à la droite de «son» homme, est perceptible dans la symétrie presque totale de leur attitude. Comme ils ne se «touchent» pas, il est impossible de croire que l'un des deux êtres conduit l'autre à sa droite ou à sa gauche. L'homme et la femme semblent libres de leur positionnement.

Alors, n'en déplaise à tous les défenseurs de l'opposition entre les sexes, l'homme et la femme viennent sans doute de la même planète. En tous les cas, leurs choix parfaitement symétriques de positionnement dans l'espace les rapprochent davantage qu'ils ne les opposent.

Leurs choix dans l'espace s'accordent donc, mais ils traduisent également une forme de conditionnement amoureux, car les hommes se déportent assez massivement à gauche de leurs chérubins bercés dans la nacelle, et les femmes très largement à droite.

> *Ce sont moins les hommes et les femmes*
> *qui s'opposent les uns aux autres*
> *que des modèles de couples.*

«Conditionnement», le mot est lâché et il est central. Un conditionnement est un réflexe automatique. Dans le cas présent, dès que l'homme et la femme éprouvent le besoin de se rapprocher pour s'étreindre davantage, ils se déplacent latéralement, changent de place. La systématicité du comportement traduit bien une forme de conditionnement amoureux. Le déplacement des couples dans l'espace est bien trop constant pour que l'on puisse parler de hasard. Il ne peut pas s'agir d'autre chose que d'un conditionnement. (D'autant que certains couples, comme nous le verrons plus loin, semblent également échapper à cette forme de conditionnement.)

Des hommes et des femmes totalement libres auraient dû observer en effet l'un avec l'autre la même liberté dans l'espace. Livrés au hasard, ils auraient dû se trouver approximativement une fois sur deux à la gauche et à la droite l'un de l'autre. Alors, si trois fois sur quatre, de manière inconsciente, l'homme se trouve à la gauche de la femme, et si trois fois sur quatre lorsqu'ils sont enlacés, la femme se trouve à la gauche de l'homme, c'est donc qu'inconsciemment, quelque chose se passe entre eux. Un conditionnement est en œuvre. Le corps humain ne fait jamais de mouvements inconsidérés, de mouvements qui n'aient un sens précis. Chaque action, même la plus intime, modifie le métabolisme, fatigue et oxyde le corps. L'être humain ne fait donc jamais de mouvements sans qu'il y ait une raison à cela. Le mouvement répond à un besoin et permet la restauration d'un équilibre. Or, par définition, un besoin est lié à un manque ou naît d'une insatisfaction.

Lorsque nous observons le couple dans la rue, il nous conduit tranquillement, mais inévitablement, de la manifestation de son conditionnement amoureux vers le Syndrome auquel correspond ce conditionnement.

DU CONDITIONNEMENT AMOUREUX AU SYNDROME D'AMOUR

Dans la rue, le rapprochement physique du couple est touchant. En revanche, lorsque l'homme et la femme sont plus profondément conditionnés, ils ne se contentent plus, consciemment ou non, de se prendre par la main, par le bras. Leur déplacement est latéral. L'amour leur a fait proprement perdre leurs repères spatiaux, révélant quelque chose de plus profond que le conditionnement amoureux: le Syndrome d'amour.

L'amour traduit à la fois la tendresse et l'attirance physique. L'amour est par ailleurs un sentiment intense. Dans la rue, lorsque l'homme et la femme se promènent au bras l'un de l'autre, tous les ingrédients de l'amour semblent présents. D'abord, «l'attachement» et «l'attirance» se concrétisent par le lien physique que l'homme et la femme entretiennent sans y être obligés. Ensuite, «l'intensité» lue à travers le besoin-plaisir de s'enlacer se donne bien à voir. Pourquoi alors dans ces conditions ne pas parler tout bonnement d'amour plutôt que de renvoyer à l'expression médicale d'un syndrome? Simplement parce que l'homme et la femme se déplacent l'un à côté de l'autre totalement *inconsciemment.*

Un syndrome est défini comme l'ensemble des symptômes caractéristiques qui se reproduisent en même temps dans une affection. Le rapprochement entre l'homme et la femme, s'il était lu seul, traduirait leur amour sincère et non conditionné. Il est bien évident en effet que lorsqu'ils s'aiment, les êtres éprouvent naturellement le besoin de se rapprocher l'un de l'autre pour être davantage l'un à l'autre. En revanche, leur déplacement inconscient latéral nous livre une information supplémentaire sur la nature de leur relation. *Le fait qu'ils se déplacent sans raison exprime leur malaise.* L'affection peut se définir ici (et nous allons le voir en détail) comme la crainte de perdre l'autre, la peur de perdre cette forme d'attachement qui lie les deux êtres ensemble. Face à cette peur, les êtres non seulement se rapprochent physiquement, mais surtout ils se déplacent latéralement pour se contrôler davantage.

Dans l'espace, l'homme et la femme changent de place sans que l'autre y soit pour rien. Ils changent de place inconsciemment, en fonction d'eux-mêmes et de leur besoin de protéger la relation. Ils se protègent en se déplaçant et en se refermant l'un sur l'autre. L'amour qui devrait servir l'épanouissement des êtres tend au contraire à les enfermer. C'est ainsi que l'amour produit son modèle opposé. L'homme et la femme vivent conjointement ou séparément le Syndrome d'amour.

Marqué à l'encre de son syndrome, le comportement amoureux se modifie. L'homme et la femme ne s'aiment plus librement. En se déplaçant latéralement, ils se rassurent inconsciemment et répondent ainsi aux prescriptions de la tour de contrôle relationnelle: leur cerveau. S'ils avaient été plus lucides, ils auraient certainement perçu la toxicité de leur relation. Peut-être auraient-ils d'ailleurs reconnu les manifestations du Syndrome d'amour.

L'amour devrait permettre à chaque homme et à chaque femme de se renforcer, de devenir plus lucide. Or, le fait même de modifier inconsciemment son comportement, en se déplaçant à droite ou à gauche *sans raison identifiée,* se lit comme la manifestation de cette lucidité empêchée. Le Syndrome d'amour place un filtre sur la relation en modifiant le comportement de l'homme et de la femme. Pourtant, une fois de plus, comprenons-nous bien, ce n'est pas le fait que l'homme et la femme modifient leur comportement qui permette de parler de Syndrome d'amour. Car l'impact de l'amour modifie généralement le comportement de deux êtres amoureux, surtout si la relation est très fusionnelle. Il y a Syndrome d'amour simplement parce que l'homme et la femme se déplacent latéralement dans l'espace, *sans avoir conscience* qu'ils modifient leur comportement. Leur liberté individuelle perturbée est traduite par ce comportement inconscient insensé.

Si nous n'avions pas peur de rendre les propos trop caricaturaux et l'analogie trop osée, nous dirions que si la personne sous dépendance alcoolique titube et zigzague malgré elle, la personne victime du Syndrome d'amour se déplace latéralement malgré elle. L'alcool modifie les repères spatiaux, le Syndrome d'amour également. Bien évidemment, le trait est généreusement grossi, mais il a l'intérêt de nous donner les moyens de comprendre pourquoi, lorsque nous parlons de Syndrome d'amour, nous exprimons à fois une «liberté empêchée» et un «conditionnement».

> *Le Syndrome d'amour fait perdre le nord de la relation.*
>
> *Dès qu'ils sont sous son emprise,*
> *le Syndrome d'amour transforme l'homme*
> *en un autre homme*
> *et la femme en une autre femme.*

Ce n'est pas l'amour qui crée ainsi des réflexes conditionnés, car l'amour seul ne peut rien faire de tel. L'amour est un sentiment généreux qui n'existe pas s'il n'existe pas des êtres pour le vivre. L'amour devrait renforcer l'autonomie des hommes et des femmes et les aider à devenir plus forts. Mais il arrive que ce sentiment généreux soit perturbé par un ensemble de besoins, de croyances, d'idées préconçues qui conduisent l'être humain à avoir peur de perdre l'amour incarné dans l'être qui l'aime. N'oublions pas en effet qu'en matière d'amour, pour l'être humain, tout commence dès la naissance par une expérience extrêmement fusionnelle et difficile. Le premier amour du nouveau-né est celui de sa mère. L'enfant n'existe pas sans elle. En lui tendant le sein, elle lui donne le goût de la vie et le protège de l'agression du monde. Or, l'enfant croit très vite être trahi par ce premier amour. Sa mère le trahit en choisissant d'aimer son père plutôt que lui; ce choix incompréhensible est symbolisé par le stade dit de l'Œdipe. Nous parlons de l'enfant ou du bébé, invoquant ainsi le genre masculin, mais en l'occurrence petits garçons et petites filles sont bien égaux face à ce premier désir amoureux[5].

La voie est ainsi ouverte. Aimer, c'est se préparer à perdre. Tous les psychanalystes sont unanimes. Cette blessure affective surmontée persiste sous la forme des traces qu'elle laisse dans l'inconscient. Les hommes et les femmes ne sont donc pas libres et dégagés par rapport à l'amour. Tous les êtres n'entrent pas dans la relation en toute sérénité. Leur inconscient sait. Et lorsque leur inconscient a besoin d'air, il se met à parler dans la rue un langage bizarre, un langage fait de déplacements latéraux.

Chez certains êtres humains, les blessures affectives antérieures empêchent ou rendent rédhibitoire tout futur engagement amoureux. Pour d'autres, par crainte de nouvelles souffrances, l'amour demande des garanties. Et dans ces conditions, l'une des meilleures manières de se garantir contre la trahison amoureuse n'est-elle pas de contrôler la relation pour que l'autre ne s'échappe jamais ? L'amour existe alors dans le couple sous une forme particulière et ne se déplace jamais sans emmener avec lui son garde-fou, le Syndrome d'amour qui est son autre face.

Plus les hommes et les femmes sont proches affectivement parlant et plus ils montrent leur volonté de contrôle dans la relation. L'amour apparaît alors comme la réponse à un besoin. En montrant leur peur insensée de perdre l'autre et leur besoin lucide d'accroître leur emprise sur la relation, les hommes et les femmes expriment un malaise. Derrière l'amour se cache son autre face : le Syndrome d'amour.

Le Syndrome d'amour se marque par la crainte inconsciente et irraisonnée de perdre l'autre.

Par ses manifestations, le Syndrome d'amour bouleverse si profondément la personnalité des hommes et des femmes qui le vivent qu'il modifie leurs réflexes en toute inconscience. Sans cela, il est impossible de comprendre pourquoi les hommes et les femmes, libres et indépendants dans l'espace, se déplacent ainsi latéralement dès qu'ils entrent en relation sérieuse.

Comment aurions-nous pu penser que la liberté d'aimer puisse seule créer de tels réflexes conditionnés ? Et que se passe-t-il derrière le phénomène étrange qui déporte les hommes à la gauche des femmes, les femmes à la droite des hommes ?

Les manifestations du Syndrome d'amour visibles jusque dans les déplacements spatiaux des hommes et des femmes sont orchestrés depuis le cerveau. C'est lui qui manifeste la volonté de contrôle de l'être humain et précipite l'homme et la femme à gauche ou à droite de leur conjoint ou conjointe. Allons donc inspecter cette tour de contrôle toujours prête à fabriquer des émotions. Nous risquons bien de découvrir que le conditionnement amoureux permet de répondre à un besoin engrammé au plus profond de notre psyché. Nous risquons également de nous apercevoir, dans le prolongement de ce que nous avons évoqué, que marcher à droite ou à gauche de l'autre permet de réguler une angoisse et que cette angoisse n'est pas de nature différente pour l'homme et la femme.

Chapitre 3

LE SYNDROME D'AMOUR EST PROGRAMMÉ DANS LE CERVEAU

Plus l'homme et la femme sont attentionnés et se rapprochent l'un de l'autre, plus la femme marche à la droite de l'homme, l'homme à la gauche de la femme.

Les raisons de ce déplacement latéral semblent inconscientes. Elles traduisent une forme de malaise vécu par le couple malgré lui. Nous parlons d'un Syndrome d'amour. L'homme et la femme tentent en se déplaçant de se rassurer l'un l'autre. Et c'est leur cerveau qui, confronté au stress ou à l'angoisse, leur donne l'ordre de modifier leur position spatiale, l'un auprès de l'autre. Ainsi, puisque le cerveau programme en partie le comportement humain, certaines réponses au conditionnement amoureux se trouvent sans doute dans sa base de données, au cœur même de nos hémisphères cérébraux. Explorons.

L'HÉMISPHÈRE GAUCHE : UNE CLÉ ESSENTIELLE POUR COMPRENDRE LE POSITIONNEMENT DE L'HOMME ET DE LA FEMME

Plus l'homme est «amoureux» de sa compagne, plus il le lui montre en se rapprochant d'elle et va jusqu'à l'enlacer dans la rue, plus il se tient à sa gauche.

Pour cerner le rôle du cerveau dans ce conditionnement inconscient, il importe de revenir sur les fonctions de l'hémisphère gauche du cerveau. L'hémisphère gauche repère les obstacles à la droite du corps et gère la partie droite de l'espace. C'est l'œil gauche qui gère la droite de l'espace. Par conséquent, lorsque l'homme se place à la gauche de la femme, au-delà du rôle de l'œil, qui s'active de manière à assurer une plus grande vigilance, c'est tout l'hémisphère gauche qui travaille davantage. C'est donc d'abord dans l'hémisphère gauche que les informations sont envoyées avant d'être redistribuées dans tout le cerveau. (Pour davantage de détails, voir annexe 2.)

LES APTITUDES CÉRÉBRALES DU CERVEAU GAUCHE

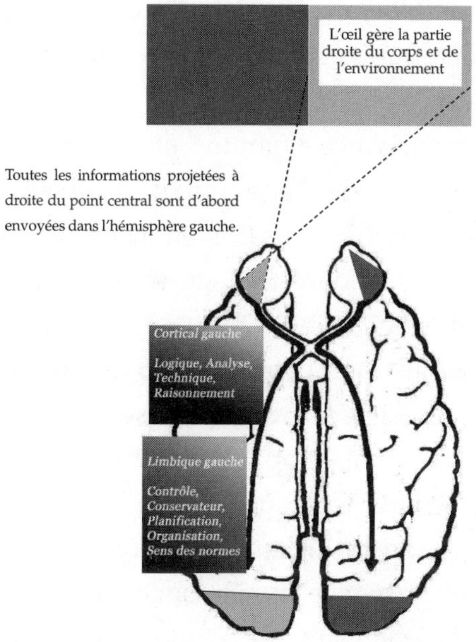

L'œil gère la partie droite du corps et de l'environnement

Toutes les informations projetées à droite du point central sont d'abord envoyées dans l'hémisphère gauche.

Cortical gauche

Logique, Analyse, Technique, Raisonnement

Limbique gauche

Contrôle, Conservateur, Planification, Organisation, Sens des normes

Les aptitudes cérébrales de l'hémisphère gauche.

De manière un peu caricaturale, l'hémisphère gauche du cerveau de l'homme et de la femme est l'hémisphère dit « sérieux ». Sa fonction principale est de régenter, de mettre de l'ordre. En d'autres termes, l'hémisphère gauche range dans des « cases neuronales » tout ce qui a besoin d'être classé de manière logique. Grâce à lui, l'univers entre dans un cadre bien clair, net, organisé pour ne plus poser de difficultés.

Hémisphère de l'organisation, l'hémisphère gauche aide l'être humain à gérer tous les détails, qu'ils soient d'ordre matériel ou privé. Pour ce faire, l'hémisphère gauche possède les ressources indispensables pour faire des propositions stratégiques.

Grâce à lui, l'être humain dispose d'un large éventail de façons de faire ou de penser. L'hémisphère gauche fabrique la norme individuelle, ce qui est bien et ce qui l'est moins, ce qu'il « convient » de faire et ce qu'il « convient » de ne pas faire. Ainsi, comme depuis leur naissance l'homme et la femme doivent composer avec des normes, des codes qui déterminent ce qu'est le bon sens et la bonne conduite, ils doivent la prescription et le souvenir de ces normes à leur stockage scrupuleux dans un module de l'hémisphère gauche.

Par ailleurs, il semble que l'être humain ne s'organise pas simplement par plaisir. S'il le fait, c'est pour se rassurer. Si l'être humain se souvient de détails apparemment sans importance, c'est parce qu'il a le sentiment que s'il ne s'en souvient pas, quelque chose risque de lui échapper, désorganisant sa vie. C'est pourquoi, dans l'exercice de ses fonctions, l'hémisphère gauche ne laisse rien traîner et, au moindre signe de laisser-aller, il déclenche l'angoisse et le stress.

En situation de stress mû par l'hémisphère gauche, la partie droite du visage a tendance à se fermer[1]. L'hémisphère gauche gère également la partie droite du corps, donc, la motricité du bras droit[2]. Or, le bras droit est celui du contrôle, le bras que l'être humain a tendance à utiliser systématiquement en situation de vigilance.

Dans la rue, au bras de l'être cher, l'homme cherche à sécuriser sa relation et à la contrôler. Si sa relation est belle, il aimerait qu'elle reste toujours ainsi. Vigilant, il utilise son bras droit pour protéger sa compagne. Il se place à sa gauche, à la fois responsable et contrôlant[3]. Ainsi, plus l'homme vit une relation de couple proche, fusionnelle même, plus il semble amoureux, plus il éprouve paradoxalement le désir, le besoin non conscient de contrôler l'autre.

Sans qu'il en ait forcément conscience (même si c'est mesurable d'un point de vue neurophysiologique), l'homme est parfois stressé par la liberté de l'autre à côté de lui. Sans qu'il en parle forcément, l'homme est très conscient de la fragilité de tous ses petits bonheurs, craintif de perdre ce qui le rend heureux. Il va alors chercher à mettre en place des stratégies inconscientes axées sur la vigilance pour faire durer cet état et mettre son bonheur sous contrôle. C'est dans les ressources de son hémisphère gauche qu'il va puiser les stratégies adéquates lui permettant de développer un comportement déterminé par la volonté de contrôle. Pour y parvenir, il active les zones cérébrales présentes dans son hémisphère gauche.

Ainsi, chaque fois qu'il met en place des stratégies de vigilance, l'être humain aura tendance à surutiliser certaines zones de son hémisphère gauche. Les répercussions de cette utilisation se feront sur le côté droit du visage et du corps. Le stress et le besoin de contrôle attirent ainsi inconsciemment l'homme à la gauche de la femme afin qu'elle ne lui échappe pas.

L'homme qui se tient à la gauche de la femme décide de prendre la responsabilité de la relation.

S'il se tient systématiquement à gauche, il se met en situation de surcontrôler la relation.

Essayons de comprendre maintenant ce qui se passe du côté de l'être humain qui marche à la droite d'un autre être humain. Généralement, c'est la femme.

L'HÉMISPHÈRE DROIT OU LA GESTION DES ÉMOTIONS

Il est dit parfois de la main gauche qu'elle est la main du cœur. En fait, cette main est mise en mouvement par l'hémisphère droit du cerveau. Or, l'hémisphère droit est l'hémisphère le plus sollicité pour la gestion des émotions. En situation d'ouverture émotionnelle, la partie gauche du visage devient beaucoup plus mobile et dilatée que l'autre partie du visage. En d'autres termes, l'être ouvert sur ses émotions active la partie gauche de son visage et de son corps. Son champ de vision à gauche est contrôlé par son œil droit.

LES APTITUDES CÉRÉBRALES DU CERVEAU DROIT

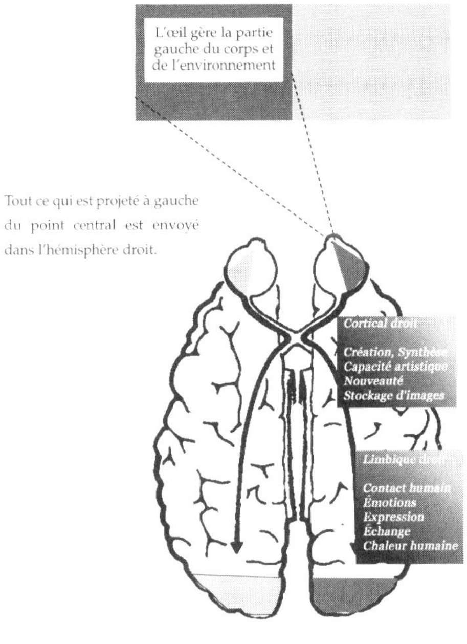

Les aptitudes cérébrales de l'hémisphère droit.

Lorsqu'un être se promène vraiment à notre droite ou vraiment à notre gauche, les informations visuelles relatives à son positionnement sont traitées par l'hémisphère controlatéral (hémisphère droit en la circonstance).

L'hémisphère droit du cerveau sert à décoder l'informel et le non-dit. Il est par excellence l'hémisphère de la sensibilité et du lien. Or, l'émotion est au cœur du lien qui se tisse entre les êtres. Les êtres humains qui sont doués pour l'échange développent des préférences cérébrales qui sont situées dans leur hémisphère droit. Leur ouverture émotionnelle les incite à entretenir des rapports valorisants et chaleureux. Les hommes et les femmes ouverts aux ressources de leur cerveau droit développent généralement une bonne qualité d'écoute.

Se placer à droite de son partenaire ou de sa compagne, c'est lui offrir son bras gauche. C'est donc se laisser inconsciemment la possibilité de rester à l'écoute de ses émotions. C'est également accepter de n'être pas celui ou celle qui contrôle, puisque la personne s'ouvre naturellement et intuitivement à toutes les activités qui relient plutôt qu'à celles qui séparent[4].

La femme se place à la droite de l'homme en lui montrant qu'elle accepte de n'être pas celle qui dirige. Par voie de conséquence, elle accepte de se placer sous la protection de celui qui, situé à sa gauche, cherche à protéger la relation en mettant en place des contrôles. En réalité, il semble que la femme soit davantage motivée et tournée vers les activités relationnelles que l'homme. (Voir annexe 3.)

Par ailleurs, comme l'hémisphère droit est l'hémisphère du lien, la femme qui se place à la gauche de l'homme s'ouvre à un espace de sa sensibilité. La femme ainsi positionnée devient la médiatrice du rapport amoureux.

Lorsque la femme se place à la droite de l'homme,
elle accepte de n'être pas celle qui dirige.
Elle est la médiatrice du rapport
et cherche à valoriser la relation.

Si elle se met systématiquement à droite,
elle cherche à se placer sous la protection de son partenaire.

Mais quelle dynamique amoureuse se met en place entre l'homme et la femme pour qu'inconsciemment ils se retrouvent à la gauche et à la droite l'un de l'autre, lorsqu'ils se déplacent amoureusement dans la rue et ne remettent pas en question ce conditionnement systématique?

LES HOMMES ET LES FEMMES: PROTECTION CONTRE OUVERTURE ÉMOTIONNELLE

Dans un couple humain, le mâle est généralement le plus fort, physiquement parlant. Sa mission traditionnelle est également de se projeter comme « chef[5] ». Cette mission lui a été clairement dévolue, bien avant qu'il soit devenu *Homo sapiens-sapiens* il y a 80 000 ans. Elle a été relayée, depuis, par les grands textes religieux ou juridiques dont nous connaissons tous l'importance dans la genèse, dans l'explication, quand ce n'est pas dans la justification des comportements actuels. Tout cela est et tout cela reste. L'homme en société est associé à la force et comme il est fort, il représente également la sécurité. Cette représentation est en très grande partie culturelle. Cependant, au fil des millénaires, une petite part d'inné est sans doute passée dans nos gènes.

Il n'est pas question toutefois de parler d'une relation dominants/subalternes pour caractériser les rapports actuels entre les hommes et les femmes. Si c'était le cas, si l'homme était aussi dominant, les hommes et les femmes ne seraient pas aujourd'hui aussi attachés les uns aux autres qu'ils le sont. Si la relation était vraiment inégalitaire, les hommes quitteraient les femmes à la première indélicatesse. Or, dans la vie de tous les jours, les femmes quittent les hommes aussi souvent que les hommes quittent les femmes. Si ces dernières étaient des subalternes, elles ne pourraient jamais prendre une telle initiative. Dans les faits, les femmes ne se positionnent pas à la droite des hommes parce qu'elles se sentent inférieures à eux. Le pacte amoureux est un pacte passé à deux, et il est une sorte de marché équilibré. Dans l'environnement, l'homme se place à la gauche de la femme en situation de vigilance. Sa compagne accepte d'être sécurisée, à la condition expresse que l'homme lui apporte la chaleur de la protection. En contrepartie, la femme propose son ouverture émotionnelle et la chaleur du lien en se plaçant à droite.

Le pacte amoureux inconscient

La femme recherche une relation équilibrée avec un homme susceptible de la sécuriser et de protéger le couple. En échange de quoi l'homme demande à sa compagne qu'elle soit ouverte à son égard et développe ses facultés d'écoute émotionnelle.

En d'autres termes, l'homme et la femme reproduisent le pacte amoureux originaire.

LA NAISSANCE DU PACTE AMOUREUX INCONSCIENT

Entre les hommes et les femmes, le pacte amoureux inconscient se fonde sur un équilibre dont il n'est pas formellement interdit de penser qu'il a été formulé par nos ancêtres. Il y a donc fort à parier que dans ces conditions, le sentiment amoureux se serait constitué en plusieurs étapes au rythme où se structurait le cerveau. L'être humain est une des très rares espèces terriennes dans laquelle les deux sujets vivent en couple et généralement, ne se séparent pas. Leur amour leur donne le goût du projet commun. Comme ils sont désireux de survivre absolument ensemble, ils vont prendre le risque de s'étouffer. Ils rencontrent alors leur Syndrome d'amour. Mais pour bien comprendre cela, il importe de saisir tout d'abord que le cerveau humain s'est formé en trois temps et que c'est au terme de trois sédimentations successives que le sens de l'amour a pris forme et s'est accompli.

Le cerveau reptilien ou cerveau paléomammalien : la rencontre de l'être humain avec ses pulsions

Il y a plus de huit millions d'années, époque à laquelle un grand singe a dû se redresser pour la première fois et où la bipédie s'est trouvée fondée, le cerveau « humain » était encore très sommaire. Vivre, c'était alors boire, manger, se reproduire. Grâce à son cerveau paléomammalien, appelé également cerveau reptilien, l'être humain va pouvoir assurer sa survie et acquérir les réflexes lui permettant d'assouvir ses pulsions fondamentales. Cet être d'alors n'éprouve pas encore d'émotions.

Pour exprimer ce qu'est un cerveau reptilien et ce que signifie « ne pas éprouver d'émotions », évoquons le crocodile qui ne dispose que de ce seul cerveau primaire. Cet animal dévore tout bonnement ses petits s'ils ne se sont pas sauvés à temps après leur naissance, simplement parce qu'il ne ressent pas d'émotions et qu'il n'est programmé que pour assurer sa survie.

L'homme a peut-être été sauvé de l'anthropophagie simplement parce que les dryopithèques, ouranpithèques, sivapithèques ou ramapithèques desquels nous descendons fort probablement étaient en fait de grands singes qui n'étaient pas carnivores !

Il n'est donc pas encore, pour l'heure, question d'amour, encore moins de Syndrome d'amour. Il n'est question que d'assouvissement des instincts. Le réflexe de reproduction qui se manifeste à cette époque n'a aucun rapport avec l'amour actuel, mais ne lui est pas non plus opposé. Et il est évident que dans notre désir sexuel, subsiste une réminiscence de l'accouplement instinctif. L'être humain dispose d'ailleurs toujours aujourd'hui de cette part de cerveau paléomammalien.

À l'époque dont nous parlons, l'amour a davantage à voir avec le coït qu'avec le clair de lune. Le face à face amoureux qui permet de se regarder, de s'embrasser, de percevoir les émotions intimes de l'autre, de lui faire passer le message du désir par le regard, n'est pas encore fondé. Les êtres humains ne font pas encore l'amour face à face.

Apparition d'une deuxième couche corticale ou système limbique

Autour du cerveau primaire de l'être humain, une écorce cérébrale nouvelle s'est peu à peu constituée, comme une deuxième couche sédimentée. L'être d'alors a cette partie du cerveau en commun avec les grands mammifères qui, comme lui, éprouvent la capacité de ressentir des émotions construites. Quiconque a un animal familier, chien ou chat, comprend très bien ce que nous cherchons à dire lorsque nous parlons des émotions. Le désir prend peu à peu une coloration émotionnelle, sans qu'il soit encore possible de parler réellement d'amour. L'être acquiert simplement une mémoire des sensations agréables et désagréables qui peu à peu se muent en sentiments. Parvenu à ce stade, il n'est pas encore question d'amour moderne, mais l'être humain donne une lueur émotionnelle à sa vie.

Le premier homme identifié, l'*Homo habilis*[6], est apparu autour de deux millions d'années avant notre ère, mais les premiers foyers n'apparaissent que vers 800000 av. J.-C. avec l'*Homo erectus*[7]. Ces êtres vivent alors dans des grottes. Nous sommes à l'âge de celui que nous appelons «l'homme des cavernes». Les premiers couples naissent. Avec la constitution du couple, une des conditions de l'apparition du Syndrome d'amour est alors remplie. La conduite sexuelle de l'être n'est plus, comme chez la majorité des animaux, influencée par les hormones sexuelles sécrétées à des périodes précises de l'année (la fameuse «saison des amours»). À mesure que son cerveau se développe, sa sexualité semble s'affranchir de ce déterminisme climatique. Mais surtout, cet affranchissement est lié au fait que ce premier être humain se met alors à inventer une diversité de pratiques et de positions sexuelles sans égale chez les autres espèces. L'être humain mâle et l'être humain femelle commencent à se regarder dans l'acte de reproduction.

L'homme et la femme ne s'offrent pas encore des fleurs, leurs sentiments n'ont pas encore acquis cette tonalité symbolique qui nous fait parfois fusionner, mais il est déjà possible de penser qu'ils peuvent aller ensemble respirer les lilas au printemps et trouver ça bon. L'être humain est sur la voie de l'amour tel que nous l'entendons aujourd'hui.

À cette époque, il y a un peu moins de 800000 ans, une des conditions du Syndrome d'amour est remplie avec l'apparition du couple fidèle. Mais il faudra encore attendre un peu pour se mettre en condition de vivre le Syndrome d'amour.

Avènement de la dernière couche du cerveau apparue chez l'être humain : le néocortex ou cerveau cortical

Cette dernière « couche d'intelligence » permet à l'être humain de projeter sa vie en affichant une distance symbolique. L'apparition du néocortex, appelé aussi « cerveau cortical », donne tout son relief à l'amour. Selon les régions du monde dans lesquelles il est découvert, l'être humain s'appelle homme de Neanderthal ou *Homo sapiens sapiens*. Il semble d'ailleurs qu'un mélange entre ces deux races se soit effectivement produit. Les deux types métissés l'un avec l'autre ont été retrouvés, pour l'un en Israël et pour l'autre en Allemagne (joli pied de nez de l'histoire). Tous les éléments sont là pour que l'être humain se projette dans l'avenir et connaisse, avec l'angoisse du futur, la peur que l'autre lui échappe. C'est aussi à cette époque que naît le culte des morts.

Le Syndrome d'amour naît véritablement avec la prise de conscience du futur et la peur de ce qu'il représente.

Les représentations rupestres apparaissent, et avec elles, les conditions du Syndrome d'amour sont alors totalement remplies: elles sont d'abord reliées à l'existence de couples identifiés, puis à la capacité symbolique de se projeter dans le futur. Représentations graphiques prenant en compte le temps et culte des morts en sont la preuve.

À ce stade, on assiste aussi à l'apparition de la pulsion amoureuse qui s'affirme dans sa différence d'avec la pulsion sexuelle[8].

Le lien symbolique amoureux voit donc le jour avec l'utilisation par l'homme de son néocortex et c'est sans doute à cette époque que le Syndrome d'amour apparaît. C'est en effet avec la prise en compte du temps ainsi qu'avec la capacité à anticiper et à faire des projets que les conditions d'apparition du Syndrome d'amour sont identifiées. Désormais, les hommes et les femmes ne se contentent pas de s'aimer. Ils projettent la relation et s'ils se referment tant l'un sur l'autre, c'est parce qu'ils ont avant tout peur de ce que pourrait leur réserver le futur. Or, la conscience claire du futur apparaît avec l'apparition du néocortex.

Les deux conditions du Syndrome d'amour sont définitivement apparues entre 80 000 ans et 35 000 ans avant notre ère avec :

1. l'existence de couples fidèles;
2. la capacité symbolique de se projeter dans le futur.

Aujourd'hui, les hommes et les femmes reconduisent un pacte amoureux conforme à la tradition mise en place à une époque qu'il est donc possible d'identifier: entre 35000 et un peu moins de 100000 ans avant notre ère. La femme accepte d'accompagner l'homme, de reproduire un modèle avec lui, tant dans la forme que sur le fond, le modèle du couple tel qu'il existait dans le paléolithique moyen. Le chasseur avait alors pour mission de protéger le foyer et de rapporter les moyens d'assurer sa subsistance, la femme celle de gérer l'univers intérieur. Il est d'ailleurs possible de penser que c'est à cette période que dextralité, soit le fait d'être droitier, et sénestralité, soit le fait d'être gaucher, sont clairement apparues, la main droite devenant ainsi la main du contrôle et le bras droit le bras le plus agile pour le combat.

Aujourd'hui, l'utilisation supérieure du bras droit et de la main droite par rapport au bras et à la main gauche se perçoit chez un nourrisson dès le deuxième jour après sa naissance, dès lors qu'il s'agit pour lui d'attraper le sein maternel, et ce aussi bien si l'on considère la densité que l'étendue des mouvements. Très tôt, le contrôle et la vigilance se mettent en place ; ils sont donc pour une part innés[9].

L'*Homo sapiens sapiens*, cet « homme sage », pouvait-il se douter que près de 80 000 ans plus tard, l'homme et la femme dans la rue reproduiraient sans le savoir le modèle esquissé en son temps ? Pouvait-il se douter que près de 100 000 ans plus tard, l'homme et la femme exprimeraient le besoin de se rassurer sur leurs intentions amoureuses respectives en se déplaçant de façon latérale dans la rue, à la gauche et à la droite l'un de l'autre, selon un schéma construit grâce à lui ?

Ainsi aux prises avec le Syndrome d'amour, se choisir reviendrait à reproduire avec l'autre les codes de l'amour ancestral. En d'autres termes, dès qu'un homme et une femme sont au bras l'un de l'autre, ils ne sont plus des individus autonomes, ils se mettent à ressembler à tous les couples qui sont autour d'eux. Qu'ils le veuillent ou non, à partir du moment où l'homme se tient à gauche de sa partenaire et la femme à droite de son compagnon, il semble que « la femme et l'homme se soient choisis ». La femme a choisi son mâle dominant. Il devient « son » homme, mari, copain, compagnon, ami. L'homme a choisi sa femelle. Elle devient « sa » femme, amie, compagne, copine. C'est cette acceptation de leurs apports respectifs dans le couple que l'homme et la femme traduisent inconsciemment lorsqu'ils s'enlacent dans la rue et que la femme se tient trois fois sur quatre à la droite de l'homme.

Cela ne fait pas de doute, ces couples s'aiment ou pensent s'aimer. Mais à un moment donné au cours de leur relation, en se déplaçant et en se cloisonnant l'un sur l'autre dans l'espace, ces couples montrent qu'ils ont été victimes du Syndrome d'amour. Ces hommes et ces femmes ne s'aiment plus vraiment. Ils sont plutôt ensemble pour reproduire un modèle amoureux, le modèle du couple fondé sur le contrôle et la protection, un modèle dont la pérennité semble compter davantage que la personne qu'ils ont à côté d'eux. Dans la rue, lorsque l'homme marche systématiquement à la gauche de la femme, la femme systématiquement à la droite de l'homme, c'est la systématicité de leur position qui permet de comprendre qu'ils reproduisent le modèle traditionnel des couples. S'aimer, c'est alors échanger respectivement contrôle contre ouverture, chaleur contre protection[10].

L'amour et son syndrome

L'amour

*Les hommes et les femmes,
parce qu'ils s'aiment, reproduisent le modèle
amoureux traditionnel.*

Le Syndrome d'amour

*L'homme et la femme
reproduisent le modèle amoureux traditionnel pour s'aimer.*

Reproducteurs d'un modèle ancestral, l'homme et la femme montrent qu'ils cessent d'être créateurs de leur relation. Leur rapport dans l'espace montre que dans leur cœur, ils sont peu ou prou victimes du Syndrome d'amour.

Le Syndrome d'amour peut ainsi se définir par la crainte irraisonnée et sans véritable fondement d'être quitté. Il modifie le comportement de la personne qui en est atteinte, qui va chercher inconsciemment à se rassurer en mettant une emprise plus forte sur la relation[11].

> Le Syndrome d'amour
>
> *Le Syndrome d'amour se définit par la crainte inconsciente et sans véritable fondement d'être quitté. La personne qui en est atteinte va chercher à se rassurer en modifiant inconsciemment son comportement.*

Mais face au Syndrome d'amour, tous les couples ne sont pas égaux. C'est ce qu'il nous faut voir maintenant.

Chapitre 4

LE COUPLE AMOUREUX À LA LUEUR DE SON SYNDROME

Les couples ne vivent pas tous le Syndrome d'amour avec la même vigueur. En les observant se déplacer dans la rue, nous nous sommes même aperçus que certains d'entre eux semblaient assez équilibrés et que le hasard semblait présider à leur déplacement. Quatre types d'attitudes se dessinent face au Syndrome d'amour. Elles déterminent quatre formes de couples.

FACE AU SYNDROME D'AMOUR, QUATRE FORMES DE COUPLES

La lecture de leur langage du corps, dans la rue, montre que certains couples restent rebelles à la loi du conditionnement amoureux, même lorsqu'ils sont enlacés. Nous les appellerons « couples rares », parce qu'ils sont peu nombreux. Les autres sont conditionnés, emprisonnés par la relation qui exprime sa propre logique et transforme leurs repères proprement spatiaux. Partons à la rencontre de tous ces couples.

L'amour sans conditions des «couples rares»

Seul un petit nombre d'êtres sont capables d'aimer de manière «inconditionnelle»; ils sont capables de ne rien exiger de l'autre, de l'aimer pour ce qu'il ou elle est, de l'aimer dans le moment présent. Les hommes et les femmes qui agissent de la sorte se parlent certes d'éternité, mais construisent l'amour pas à pas, en évitant de s'enfermer dans la durée. Nous les appelons couples rares simplement parce qu'ils ne constituent qu'un couple sur sept (14,2%: cf. annexe 1), ces couples formés par deux êtres équilibrés, qui ont su transposer cet équilibre dans leur vie amoureuse.

L'homme et la femme qui composent ce couple s'aiment sans chercher à changer l'autre. Leur relation se passe donc sous le signe de la liberté. Comme ils sont libres, dans la rue, ces couples expriment cette liberté: ils se tiennent, de manière indifférente, à droite ou à gauche l'un de l'autre.

Dans le domaine amoureux, deux formes de liberté[1] se manifestent et s'opposent même utilement: la liberté d'opposition et la liberté de différence. Précisons que seule la deuxième forme de liberté est réellement déconditionnée.

La liberté d'opposition est étroitement associée à la possibilité de réaliser l'interdit. Cette liberté est totalement conditionnée par la possibilité de réaliser l'interdit simplement parce qu'il est interdit. Elle n'a rien à voir avec la liberté sur laquelle se fondent les couples rares. Chacun des deux êtres fondateurs d'un couple rare est certain de son authenticité face à l'autre, et chacun, face à l'autre, montre la force de sa liberté: la liberté est une liberté de différence. Le discours des hommes et des femmes qui composent ces couples se formule globalement de la sorte:

- Je t'aime comme tu es, ne change rien, c'est comme ça que je t'aime. Essayons d'être toujours authentiques l'un pour l'autre.

Les hommes et les femmes qui constituent et construisent ces couples ont compris *qu'aimer l'autre, ce n'était pas avoir confiance en lui. Aimer l'autre, c'est d'abord avoir confiance en soi.* C'est cette forme de confiance en soi qui permet d'avancer vers l'autre confiant dans la qualité de la relation. Sur les boulevards, ces couples parfois très proches ou enlacés ne changent pas de position dans l'espace.

> *Aimer l'autre, ce n'est pas avoir confiance en lui.*
> *Aimer l'autre, c'est d'abord avoir confiance en soi*
> *et offrir à l'autre cette confiance.*

Cependant, généralement, à quelques couples rares près, les hommes et les femmes ne supportent pas cette légèreté de la relation. Ils ont besoin de s'engager, besoin de l'engagement de l'autre dans la relation.

L'amour cloisonné des couples engagés et l'amour très cloisonné des couples très engagés

Les hommes et les femmes ont généralement de la difficulté à admettre que la liberté puisse être vécue par leur partenaire amoureux. Ils demandent plutôt à l'amour de les responsabiliser en les engageant davantage l'un envers l'autre. Le rapport amoureux «doit» avoir du sens, «doit» prendre du sens et dans ce dessein, il «faut» s'engager. Ils se regardent alors dans les yeux pour se dire: « ATTENTION, c'est sérieux! » De la sorte, les êtres s'aiment, parce que certaines conditions d'engagement définies entre eux sont remplies. Dès lors, ils vivent l'amour « sous conditions », se conditionnent pour aimer. Ces couples-là représentent entre deux et trois couples sur cinq (41,75 %).

La frontière entre les « couples engagés » et les « couples très engagés » est très floue. En même temps, entre le couple pour qui le conditionnement (l'homme à la gauche de la femme, la femme à la droite de l'homme) se produit dès que l'homme et la femme se prennent la main et celui où le déplacement latéral apparaît lorsqu'ils se prennent le bassin, une frontière floue mais réelle existe.

Ils peuvent être dissociés en deux types de couples, les couples les plus souples dans la relation (29,93 %) et ceux qui sont plus fortement conditionnés (11,82 %).

Il convient également de lever une ambiguïté: ce n'est pas l'engagement amoureux qui est la preuve d'un conditionnement. L'engagement amoureux est important et dans les couples rares, l'homme et la femme s'engagent lorsqu'ils s'aiment. Mais ici, avec ces deux types de couples, l'engagement est un préalable à l'amour. Il s'exprime par la phrase suivante:

- Je ne peux t'aimer que si tu t'engages.

L'engagement n'est pas un engagement du cœur, c'est un engagement statutaire. Le couple se fonde sur son engagement, pas sur son amour.

Ces couples sont des couples « sérieux », et leur sérieux est plus important que leur amour. Leur amour est fondé sur un engagement conditionné, c'est-à-dire un engagement « à condition de », « à condition que ». Et chaque membre du couple ne manque jamais une occasion de rappeler à l'autre ses engagements. Ils fonctionnent en conformité avec la règle du: «Je te fais confiance», règle qui sous-entend une autre règle bien illustrée par la phrase: «N'oublie pas d'être à la hauteur.» Généralement, en disant «je te fais confiance», ils trouvent dans leurs paroles un apaisement à leur propre jalousie. La jalousie est leur garde-fou. En réalité, l'un des deux membres du couple (ou encore les deux membres du couple) manque généralement de confiance en lui et projette son manque de confiance sur l'autre.

Ici, la jalousie d'un des êtres permet de couper son ou sa partenaire de tout ce qui pourrait le ou la détourner du couple. Pour n'avoir pas à souffrir, le jaloux propose inconsciemment à l'autre de se détourner de contacts possibles. À mieux y réfléchir, la jalousie semble même constituer dans ces couples une forme de lien. Elle préserve de l'extérieur. Dans ces couples, l'homme se tient à la gauche de la femme, la femme à la droite de l'homme, dans un rapport très formalisé.

En amour, la confiance doit aller de soi. Paradoxalement, cette confiance n'est vraiment réelle et partagée que lorsque le mot «confiance» n'est pas employé. Sans cela, le chantage à la confiance est un moyen de pression aussi fort que tout autre type de chantage:

- Je te fais confiance, alors fais attention.

Si le mot confiance revient trop souvent, c'est qu'en réalité un malaise caché tiraille le couple[2].

Les couples engagés cherchent à faire durer leur bonheur. Il n'y a rien là de plus légitime. Ce qui est moins justifiable, c'est d'avoir installé la relation dans le cloisonnement pour lui permettre de durer. Ces couples se sont juré fidélité, se sont promis l'exclusivité de leur couche, en d'autres termes, de leur intimité sexuelle. Ils l'ont crié bien haut et fort autour d'eux pour bien s'assurer de l'exclusivité de leur partenaire. Mais en agissant ainsi, ils sont entrés dans un jeu de rôles protecteur. Dans ce modèle de couple, l'homme et la femme sont effectivement, exclusivement l'un à l'autre. Il est impossible de savoir s'ils sont heureux, mais il est évident qu'ils sont un couple.

L'amour dans le manque et la dépendance

Enfin, pour les hommes et les femmes qui composent les couples restants, l'amour existe sous sa forme la plus nocive. Il leur permet de combler un manque. Ces couples (44,05%) sont les plus nombreux. Ils sont formés de l'addition des êtres qui *systématiquement* se portent pour les hommes à la gauche des femmes et pour les femmes à la droite des hommes, ainsi que des hommes et des femmes qui se portent dans la position symétrique systématiquement inverse. Comme ils sont systématiquement à gauche ou systématiquement à droite, ils montrent, par leur comportement systématique, la force de leur conditionnement amoureux.

L'amour cache ici un mal-être profond. Certains êtres ont un besoin tel de l'autre qu'ils asphyxient leur relation comme on étouffe un feu. Ils l'asphyxient en ne la laissant pas se dérouler spontanément. De la sorte, ils étouffent l'autre plutôt que de le laisser vivre librement le mouvement de son être.

Dans cette dernière catégorie de couples d'hommes et de femmes, la relation est placée sous haute surveillance toxique. L'autre n'est plus là pour permettre à son ou sa partenaire de rayonner à côté de soi. L'amour est le nom que ces êtres donnent au sentiment qui leur permettra essentiellement de combler un manque. Dans ces conditions, leur partenaire permet de combler leur besoin vital de relation amoureuse. Sans cela, il n'y aurait aucune raison pour que les hommes et les femmes se déplacent tellement systématiquement à gauche et à droite de l'autre et se referment l'un sur l'autre. Le besoin amoureux a donc cédé la place à la peur du manque. Dépourvus totalement de confiance en eux, les hommes et les femmes de ces couples craignent sans arrêt d'être quittés. Ils sont toujours en situation inconsciente de contrôle extrême de toutes leurs relations. La relation accomplit ainsi le mal nécessaire qui l'a aidée à naître et que l'homme et la femme ont improprement mais spontanément désigné par le mot amour.

Vides d'eux-mêmes, ces hommes et ces femmes se nourrissent du manque de l'autre et ne pourraient pas supporter d'être délaissés. Comme la nature de la relation est le manque, l'un des deux membres du couple n'a aucune difficulté à reconnaître qu'il n'est plus rien sans l'autre. Il ne serait pas en mesure de supporter une rupture sans connaître un profond processus de dépression. Il s'agit donc de protéger la relation coûte que coûte afin qu'elle ne se transforme pas.

Pour ces couples, la relation trouve son seul sens en elle-même: « Un tiens vaut toujours mieux que deux tu l'auras. » Ces couples mettent leur relation sous assistance respiratoire continue, de peur que l'autre puisse respirer tout seul, sans son ou sa partenaire. Une telle éventualité serait tout simplement inconcevable. Il est d'ailleurs tout aussi inconcevable pour un membre du couple que l'autre membre ait pu connaître un moment de bonheur dont il ait été exclu. L'amour tel qu'il est vécu dans ces couples est fortement toxique et traduit un haut niveau de Syndrome.

Le positionnement des couples dans la rue nous a permis de fonder des regroupements sur la nature du conditionnement à mesure que les êtres se déplaçaient latéralement dans l'espace à la gauche pour les hommes et à la droite pour les femmes.

Couples équilibrés ou couples rares	14 %
Couples engagés	30 %
Couples très engagés	12 %
Couples dépendants (sous très fort conditionnement)	44 %

Pour calculs complets : voir source en annexe 1.

Ces quatre statistiques arrondies sont des ordres de valeurs, et pas des vérités absolues. Elles nous aideront à réfléchir à la nature des conditionnements. Grâce à elles, l'ampleur du syndrome qui fait souffrir le couple est appréhendée de manière plus concrète. Seuls les couples équilibrés ou couples rares semblent ne pas souffrir de déséquilibres, car leur comportement n'est pas modifié. Une fois de plus, et nous y revenons, pour que les choses soient bien claires, le Syndrome d'amour ne naît pas chaque fois que les hommes marchent à la gauche des femmes et les femmes à la droite des hommes. Il naît chaque fois que cette position devient *systématique*. Le comportement systématiquement inverse, la femme à la gauche de l'homme, l'homme à la droite de la femme, révèle d'ailleurs par sa «systématicité» l'expression même du Syndrome. L'effet systématique est pris en compte dans les indices constitués.

Face au Syndrome d'amour, les hommes et les femmes ne s'opposent pas. Ils ne sont pas différents. Plus vraisemblablement, si l'homme et la femme éprouvent beaucoup de difficultés à vivre ensemble, c'est parce que la forme de leur relation ne leur convient pas. Ils entrent dans la relation avec leurs histoires individuelles. Certains ont besoin de donner et de recevoir beaucoup d'amour. D'autres, plus détachés ou indépendants, auront des besoins différents. Qu'ils soient hommes ou femmes ne change pas grand-chose. La ligne de rupture entre les hommes et les femmes serait à établir autour de l'attente par rapport à la relation. Concrètement, la bonne question à poser ne serait donc pas :

– Tu es un homme (une femme), un être *différent* de moi, il est donc possible que nous ayons de la difficulté à nous comprendre, qu'en penses-tu ?

Mais plutôt :

– J'ai *comme* toi un passé relationnel et amoureux, j'ai fait telles expériences et rencontré telles blessures affectives, j'en suis là, et toi, où en es-tu ?

Le sexe de l'autre semble moins important que les attentes amoureuses liées au passé ou à l'histoire individuelle de chacun. À partir de là, certains êtres plus fragiles ou éprouvés vont faire le choix inconscient de se refermer l'un sur l'autre pour ne plus souffrir et se renforcer ensemble, tandis que d'autres mieux armés d'un point de vue psychoaffectif auront le désir de s'ouvrir davantage sur le monde et sur les autres.

À ce stade de l'ouvrage, contentons-nous de comprendre que ces quatre modèles de couples correspondent à deux façons de comprendre la relation amoureuse. La première forme d'amour est la forme la plus saine. Elle renforce l'homme et la femme. Ils sont bien dans leur relation de couple, car la qualité de cette relation est fondée d'abord sur la force intérieure affective de chacun. Personne ne demande à l'autre de correspondre à l'image de ses attentes. Chacun, en quête de davantage d'authenticité, essaie tout simplement d'être lui-même, respectueux des différences de son ou sa partenaire.

En revanche, l'autre forme d'amour est malheureusement sa forme la plus courante. Chaque membre du couple est conditionné par ce qu'est l'autre. En d'autres termes, l'amour est fondé davantage sur ce que «doit» être l'autre que sur ce qu'on lui donne. L'amour existe grâce à une condition *sine qua non*: conserver l'autre «conforme» à nos propres attentes. Il va donc s'agir avant tout de «configurer» l'autre, puis de contrôler l'autre, pour ne pas le perdre. Dans cette dynamique, il s'agit de le contraindre à penser qu'il est impossible d'exister l'un sans l'autre.

Certaines formes d'amour sont moins toxiques que d'autres. Certains couples sont moins conditionnés que d'autres. Certains êtres, parce qu'ils ne parviennent plus à être présents à eux-mêmes, ont besoin d'être davantage nourris par leur couple que d'autres. Le manque les habite en permanence. Vides d'eux-mêmes, ils pensent que leur partenaire détient la solution de la relation, la solution pour combler leur vide identitaire. Ils se précipitent donc à gauche de leur partenaire pour les uns, à droite pour les autres, afin de reproduire avec le plus de rapidité et le plus d'efficacité possible le couple traditionnel.

Rendus à ce point du livre, certains êtres risquent de ne pas se retrouver dans le Syndrome d'amour. Ils ne pensent pas souffrir de cette «crainte irraisonnée de perdre l'autre». Au contraire, ils se trouvent très libres par rapport à cela. Pourtant, à y regarder de plus près, leur stratégie amoureuse relève sans doute malheureusement bien de ce que nous avons identifié comme étant le Syndrome d'amour.

UNE AUTRE FAÇON DE VIVRE LE SYNDROME D'AMOUR : FUIR

Certains êtres très indépendants vivent le plus souvent seuls. Ils ont tendance à se sauver ou à s'en aller dès que la relation amoureuse devient compliquée. Généralement assez fiers de leur capacité à prendre de la distance, ils pensent que leur attitude est très saine. Mais les choses sont sans doute en réalité moins claires.

Le Syndrome d'amour se manifeste par la « crainte d'être quitté par l'autre ». Une stratégie très efficace pour ne jamais avoir à vivre cela consiste bien évidemment à quitter l'autre avant d'être quitté par lui ou elle. En ayant mis en place une stratégie de dénégation, la personne atteinte du Syndrome d'amour semble ainsi toujours maîtresse de la situation.

Extérieurement, elle semble libre et ne pas souffrir de conditionnements parce qu'elle est capable de partir sans se retourner. Si l'on ne regarde pas de trop près, la capacité de ces hommes et de ces femmes à sortir ainsi la tête haute de la relation amoureuse peut même être associée à un certain panache. Ils peuvent, selon les circonstances, sembler courageux ou lucides. En réalité, leur façon d'agir cache un profond mal-être, qui n'a pas grand-chose à voir avec la lucidité et le courage. Le cas de Luc est un bon exemple pour appréhender ce phénomène.

Luc, un participant à un de mes séminaires, me confiait à la pause d'une séance de travail que peu après sa naissance, il avait été délaissé par sa mère pendant quelque temps pour être confié à sa grand-mère. Il ne se souvenait pas d'avoir vécu cela.

Simplement, lorsque, une fois adulte, cette anecdote lui a été racontée de la manière la plus banale qui soit, il l'a retenue.

Puis, un jour, certains faits relatifs à son engagement amoureux sont devenus plus clairs. Jusque-là, en amour, il estimait être très adroit, très accompli, parce que selon lui, « jamais il n'avait été quitté par une femme ». Il semblait même tirer un certain prestige de ce haut fait d'armes. En fait, il venait de comprendre qu'inconsciemment, il s'était fait un tout autre pari. En réalité, depuis tout petit, il ressassait la même rengaine profondément ancrée en lui: « Ma mère m'a quitté et elle est la seule femme qui le fera jamais ! »

Ce participant jusque-là quelque peu libertin venait de comprendre qu'il se pensait totalement libre alors qu'en fait, il vivait un très haut niveau de Syndrome d'amour. Dès qu'il sentait les difficultés naître dans ses relations amoureuses, il sautait sur un prétexte futile pour prendre la tangente et ne pas risquer d'être quitté un jour. Il se mettait ainsi en situation de ne plus jamais souffrir. Il montrait son conditionnement dans sa peur panique de connaître la souffrance amoureuse.

Dans sa vie, chaque personne met en œuvre les stratégies qui lui semblent les plus efficaces pour être heureuse. Une façon bien commode d'être heureux est d'ailleurs de ne pas souffrir. Ainsi, certains êtres préfèrent fuir leurs souffrances que d'avoir à les affronter. Les stratégies amoureuses non conscientes sont propres à chacun et n'ont rien de blâmable. En revanche, il est important de ne pas être dupe de ses propres stratégies non conscientes et d'éviter ainsi de mettre le mot « liberté » sur son attitude, lorsqu'elle est empreinte d'un fort conditionnement non encore identifié.

Les êtres humains qui pensent ne pas être atteints par le Syndrome d'amour parce qu'ils fuient dès la première petite anicroche amoureuse peuvent également s'arranger pour rencontrer des êtres avec lesquels, d'emblée, la relation s'annonce difficile, et qu'ils quitteront parce que, bien évidemment, « ils n'étaient pas faits pour aller ensemble[3] ». Au gré de leur tempérament, ces hommes et ces femmes s'arrangeront pour rencontrer des êtres beaucoup trop jeunes, ou beaucoup trop âgés, ou d'un milieu social extrêmement différent, avec un niveau de maturité en décalage avec le leur, ou encore non vraiment disponibles. Ainsi, en s'arrangeant par avance pour rendre l'amour impossible, ils sont certains de n'être pas pris au piège de l'engagement amoureux. Dans ces cas limites, le Syndrome d'amour lui-même interdit l'amour et le grand amour reste le produit d'un fantasme impossible.

Enfin, disons peut-être encore juste un mot des couples qui pourraient ne pas se reconnaître dans le Syndrome d'amour vécu comme « crainte irraisonnée de perdre l'autre » parce que la passion s'est dénouée au fil du temps et qui finissent par vivre côte à côte sans n'être plus jamais surpris par les turpitudes de l'amour. En fait, c'est là aussi très souvent un leurre. Il suffirait d'ailleurs que l'homme ou la femme fasse mine de quitter l'autre pour que tout à coup une vraie passion renaisse entre eux. Certains couples vivent donc leur Syndrome d'amour plus sournoisement que d'autres, et ce n'est pas parce que les couples ont l'air plus distants qu'ils le sont en réalité. D'ailleurs, en matière amoureuse, la distance apparente est souvent une distance de façade derrière laquelle se forge un fort attachement qui n'ose pas ou ne veut pas dire son nom.

Les manifestations du Syndrome d'amour semblent bien claires, mais pour mieux comprendre la vivacité de son expression, il est souhaitable de revenir un moment sur la construction même de l'amour. Cette construction est liée à la construction du rapport social lui-même. Elle permet de comprendre mieux combien, derrière le Syndrome d'amour, l'enjeu de la possession de son ou sa partenaire est important. Sans enjeu de possession, le contrôle et «la peur irraisonnée de perdre l'autre» ne signifieraient pas grand-chose, mais avec cet enjeu, la crainte d'être dépossédé de l'être aimé prend en revanche réellement tout son sens.

DEUXIÈME PARTIE

Les raisons du constat : le Syndrome d'amour comme expression de la propriété amoureuse

L'être humain est victime du Syndrome d'amour lorsque le besoin d'entretenir une relation est devenu plus important que son partenaire lui-même. L'être humain n'aime pas l'autre, il aime l'aimer. Le partenaire n'existe plus comme objet amoureux, il est là pour combler un manque, pour suppléer à une forme d'absence à soi-même. L'homme et la femme sont victimes du Syndrome d'amour lorsqu'ils ont le sentiment que c'est la possession de l'autre qui leur permettra de s'accomplir. La peur de perdre l'autre fait alors naître en eux le sentiment de perdre une partie de leur identité. Dans ce contexte, la crainte irraisonnée d'être quitté peut facilement prendre la forme d'une angoisse profonde.

Ce désir de posséder l'autre prend des formes plurales.

Il s'agit d'abord de s'assurer la *possession sociale* de son ou sa partenaire amoureuse. L'être humain n'écoute plus son cœur, il choisit d'adopter un comportement cohérent socialement. L'homme et la femme sont programmés pour cela depuis bien longtemps. Le mécanisme est en place dans le cerveau lui-même.

L'amour passe ensuite par la *possession sexuelle* de l'autre. De fait, la personne victime du Syndrome d'amour cherche consciemment ou non à se rassurer en s'appropriant le corps de l'autre.

Cette possession s'approfondit par la *possession psychologique.* L'être humain victime du Syndrome d'amour a besoin de devenir propriétaire de l'identité de l'autre pour s'accomplir lui-même.

Cette possession est enfin une *possession morale*. Posséder l'autre permet d'asseoir et de renforcer son identité dans le groupe, par la reproduction à l'identique de rapports ancestraux.

C'est sans doute parce qu'ensemble ils sont tellement programmés par ces multiples facettes de la possession que l'homme et la femme ont tellement de difficultés à conserver son caractère libre à la rencontre amoureuse. Mais c'est également en comprenant mieux comment s'organise ce besoin de possession proprement inconscient de l'autre que nous nous mettrons en situation de mieux appréhender comment certains hommes et femmes parviennent à contourner ensemble ce besoin d'appropriation, pour devenir ou s'affirmer comme des couples rares.

Chapitre 5

DERRIÈRE L'AMOUR SE CACHE UN BESOIN INCONSCIENT DE COHÉRENCE SOCIALE

Le Syndrome d'amour est profondément enraciné au cœur du couple. Sous sa contrainte, certains hommes et certaines femmes semblent davantage attentifs au lien social créé par le fait même de vivre en couple qu'à l'être qui les accompagne. Bien évidemment, ils connaissent aussi des éclairs de lucidité. Honnêtes, il leur arrive même d'interroger leur cœur pour mesurer l'authenticité de leurs sentiments ; ils écoutent la petite voix de leur conscience leur susurrer : « Si tu ne sais pas, écoute ton cœur. Lui au moins, il sait. » Qui n'a pas déjà entendu résonner dans sa tête cette voix que l'on pourrait aussi nommer la voix du cœur ?

Mais dans la réalité, il ne suffit pas d'écouter simplement cette petite voix. Tout est en vérité plus compliqué, car le cœur lui-même n'est évidemment pas libre des manifestations et des effets que génère le Syndrome d'amour.

AU CENTRE DU CORPS, LA VOIX DU CŒUR EST L'ARBITRE DES DEUX HÉMISPHÈRES

Tout le monde s'accorde sur un point: le cœur est d'abord un organe, mais il est également l'expression métaphorique de la générosité par excellence.

En tant qu'organe, le cœur est une pompe qui aspire et refoule, qui reçoit et envoie du sang dans le corps: il reçoit et il envoie. Le cœur est donc un médium, situé à un endroit stratégique du corps humain: au «cœur» de l'être. Approximativement à mi-chemin entre la tête et les jambes, à distance assez égale de la main droite et de la main gauche, bien installé au «cœur» de l'être, le cœur est «au cœur» de toutes les sensations. Central, le cœur est la partie du corps la mieux protégée de l'être humain. Lorsque l'homme et la femme se donnent réciproquement leur cœur, c'est donc sans aucun doute la partie métaphorique la plus précieuse de ce qu'ils sont qu'ils s'offrent en cadeau.

Par ailleurs, outre cette image poétique, le cœur est également ce qui permet d'unifier les deux parties du cerveau de l'être humain pour que ce dernier soit plus engagé par rapport à ce qu'il dit, par rapport à ce qu'il pense et surtout envers ce qu'il aime.

Au premier degré, l'être humain actionne en effet son cerveau chaque fois qu'il est amené à prendre une décision. Apparemment, ses deux hémisphères cérébraux lui permettent d'analyser aussi bien globalement (hémisphère droit) qu'en détail (hémisphère gauche) toutes les situations auxquelles il est confronté dans sa vie quotidienne. Grâce à ses deux hémisphères, l'être humain peut donc choisir d'être à la fois très ouvert et très organisé, aussi bien capable du plus grand laisser-aller que d'un cloisonnement très rigoureux de toutes ses activités. Mais dans ces conditions, si l'homme et la femme définissent des priorités afin de réussir le mieux possible dans toutes leurs entreprises, qui va bien pouvoir leur permettre de hiérarchiser ces priorités ? Qui va leur permettre de choisir entre les priorités établies par l'hémisphère gauche et celles qui proviennent de l'hémisphère droit ? Ce grand décideur est leur boussole, et la boussole de l'être humain, c'est son cœur.

Bien sûr, depuis Descartes, les scientifiques les plus zélés avaient beau jeu de dire que le cœur ne « raisonne » pas, que le cœur ne « réfléchit » pas et ils avaient raison, évidemment[1]. Mais en même temps, ils oubliaient alors de se demander qui arbitre entre les décisions qui relèvent respectivement de l'hémisphère droit et celles qui relèvent de l'hémisphère gauche de notre cerveau. Tellement pressés de bâtir la théorie de la raison moderne, d'établir un clivage valide entre l'homme et l'animal, entre la raison et la folie[2], ils avaient réglé d'un revers de main la question de l'arbitrage du cœur. Pour eux, dans le sillage de Descartes, il y avait la raison d'un côté et les émotions de l'autre. Et, mieux que cela encore, la raison d'un côté et les esprits animaux de l'autre[3].

Or, nous découvrons peu à peu que ce clivage n'est pas valide. Nous savons aujourd'hui que le cerveau établit en permanence un arbitrage entre la rationalité (cerveau gauche) d'un côté et les émotions (cerveau droit) de l'autre. Nous savons aujourd'hui qu'un homme qui ne peut pas être touché par ce qu'il vit ne peut pas être pleinement rationnel, car il devient incapable de hiérarchiser ses priorités, incapable d'arbitrer entre ce qui est important et ce qui l'est moins[4]. Et c'est là que réside pleinement la fonction du cœur. Mais prenons d'abord un exemple pour mieux comprendre cette idée.

Vous vous retrouvez en pleine nature avec vos enfants. Vous les avez laissés un moment pour aller faire quelques pas et vous détendre. Tout à coup, vous vous apercevez que vous êtes perdu(e). À l'ouest, vous entendez très loin leurs voix. Eux aussi se sont déplacés sans votre permission. Ils sont à l'ouest et vous savez que quelque part à l'est, sans que vous connaissiez le lieu exact, se trouve le pique-nique des deux prochains repas. L'endroit où vous êtes est un endroit dangereux, plein de crevasses. Vos enfants situés à l'ouest sont en danger, mais si vous ne retournez pas à l'est, vous risquez de n'avoir rien à leur offrir à manger pour les 24 heures qui viennent. Inconsciemment, vous allez devoir choisir. Vous allez devoir arbitrer entre d'un côté votre intégrité physique et la leur, vous engageant à vous diriger du côté de la nourriture, et de l'autre le déplacement rapide pour la protection face au danger.

Les impératifs dictés par l'hémisphère gauche (la logique pure) choisiront donc a priori la nourriture et les impératifs prescrits par le cerveau droit (les émotions) opteront a priori pour les enfants, puis pour la nourriture. Mais QUI arbitre entre les impératifs de l'hémisphère droit et les impératifs de l'hémisphère gauche QUI dit ce qui est le plus important?

En fait, ce n'est ni l'hémisphère droit ni l'hémisphère gauche, c'est VOUS et vous seul(e) qui êtes susceptible de prendre tous les éléments en compte. Vous allez choisir le plus raisonnablement possible, car tout cela est vital. Et vous allez vous rendre compte à ce moment-là que très curieusement, après avoir bien réfléchi, le fait d'être raisonnable correspondra simplement à écouter ce que vous ressentez au plus profond de vous. Curieusement, vous allez cesser de réfléchir pour essayer de sentir ce qui est bien. Le plus important, ce sera ce qui vous touchera le plus. En l'occurrence, le bon sens populaire a peut-être devancé les plus grands. En effet, lorsque le bon sens populaire place dans la bouche de gens simples ces paroles claires, «Écoute ton cœur, il sait ce qui est bon pour toi», il ne dit rien d'autre que ce que les recherches les plus récentes sont en train de découvrir tout à fait scientifiquement.

Un autre exemple court mais tellement parlant peut nous aider à comprendre combien le cœur exerce une influence majeure dans tous nos choix. La méthode du *split-brain* (sectionnement du corps calleux chez des patients épileptiques) montre que chaque hémisphère du cerveau possède des attributions et apprend lui-même à faire ses expériences[5].

Un patient qui était descendu d'une voiture a été observé en train de refermer sa portière de la main droite, pendant que sa main gauche se consacrait à l'ouvrir.

Ce patient dont les informations ne circulaient plus d'un hémisphère à l'autre était partagé entre le désir d'aller dans un lieu et le désir de ne pas y aller. En temps normal, les informations seraient passées d'un hémisphère à un autre grâce au corps calleux et une décision simple aurait été prise: fermer la portière après être sorti de la voiture ou l'ouvrir pour remonter dans la voiture et repartir. Pourtant, que les décisions soient simples ou compliquées, la réponse à apporter est importante. Là encore: QUI arbitre? QUI tranche entre le choix de l'hémisphère droit et le choix de l'hémisphère gauche? En fait, c'est le cœur qui hiérarchise l'information tout à fait rationnellement, après avoir puisé dans l'environnement réinterprété par le cerveau les informations nécessaires pour prendre une décision.

C'est le cœur qui permet de hiérarchiser l'importance de l'information.

Toutes les recherches sur l'intelligence émotionnelle montrent l'importance du cœur dans le choix des stratégies les plus rationnelles. Si nous parlons ici du cœur plutôt que des émotions, c'est parce que parler des émotions prêterait à penser que la solution à tous nos comportements réside dans l'écoute de l'hémisphère droit, également appelé hâtivement « hémisphère émotionnel[6] ». En fait, la solution qui permet d'adopter le comportement le plus adapté en toutes circonstances se trouve plus certainement dans l'équilibrage et l'écoute des deux hémisphères. Par ce biais, nous vous invitons à penser que la solution est plutôt dans l'écoute du cœur, car le cœur lui-même, et seul le cœur, est susceptible de procéder à l'arbitrage entre les deux hémisphères.

Le cœur permet d'établir des priorités; autrement dit, d'établir un ordre d'urgence. Ce n'est donc ni l'hémisphère droit tout seul ni l'hémisphère gauche tout seul qui tranche. Ce ne sont pas les émotions seules, beaucoup trop « chaudes », ni le sens pragmatique seul, beaucoup trop « froid », qui décident. L'être humain qui écoute son cœur ne se trompe pas lorsqu'il opère des choix. Le cœur est à l'écoute des deux hémisphères, il arbitre et n'oublie rien. Il a une mémoire infaillible pour qui sait écouter. Au centre de l'être, le cœur aide l'être humain à ne pas se tromper, à bien faire les bons choix, les choix les plus judicieux, les choix qui l'aideront à être heureux.

Or, si le cœur était véritablement libre, hommes et femmes dans la rue se promèneraient à droite ou à gauche l'un de l'autre complètement au hasard. Ils ne se déplaceraient pas latéralement l'un à côté de l'autre totalement inconsciemment. Le rôle du cœur devrait être de rendre plus conscient et de permettre d'aimer de manière plus lucide. Il est donc quelque peu angoissant de constater que c'est sans doute le cœur lui-même qui a prescrit au cerveau sa conduite lorsque ce dernier projette les hommes à la gauche des femmes, les femmes à la droite des hommes. Et pourtant, nous avons tellement envie de croire que le cœur, au moins lui, puisse prétendre à encore un peu de pureté et rester à l'écart des enjeux de pouvoir-contrôle entre les hommes et les femmes. Nous avons tellement envie de croire que lorsque nous nous sentons amoureux, l'amour est un sentiment libre resté à l'écart de tout choix stratégique. Or, nous nous apercevons que les hommes et les femmes doivent au contraire véritablement travailler sur ce que leur dicte leur cœur lui-même, sur les messages envoyés au cœur même de leur être.

Essayons donc de comprendre plus exactement ce que cherchent à dire les cœurs des hommes et des femmes à leurs cerveaux lorsqu'ils envoient des messages qui amènent les hommes à la gauche des femmes et les femmes à la droite des hommes.

LORSQUE LE CŒUR FAIT LE CHOIX ENTRE L'AUTHENTICITÉ ET LA COHÉRENCE

Saisissons bien l'enjeu. Le cœur arbitre entre les deux hémisphères et permet de faire des choix. C'est donc le cœur lui-même qui entraîne les hommes inconsciemment à gauche des femmes et les femmes inconsciemment à droite des hommes. En théorie, «le cœur sait ce qui est bien»; c'est lui qui aide l'homme et la femme à tenir bon le cap de leur relation et à rester authentiques. Ainsi à l'écoute de leur cœur, ils savent ce qui est bon pour eux et ce qui est authentique. Mais l'homme et la femme ne vivent pas seuls, ils vivent en société au milieu d'autres hommes et d'autres femmes. Confrontés aux exigences sociales qui les obligent à être conformes aux autres, les couples sont alors conduits à confondre deux choses qui n'ont pourtant rien à voir l'une avec l'autre: l'authenticité et la cohérence.

L'homme et la femme éprouvent l'un pour l'autre des désirs qui sont authentiques et qu'ils ont éprouvés instantanément. Mais en même temps, ils voudraient que tout cela ait du sens éternellement. Ils voudraient que la rencontre qui se produit dans l'instant soit cohérente avec leur projet de vie. Le cœur est ainsi piégé. Il aime dans l'instant, mais il faudrait que ce qui s'est produit dans l'instant puisse continuer à exister dans la durée. Un glissement de sens se produit alors entre deux échelles de temps. Ce glissement de sens est funeste à la relation humaine.

En règle générale,
l'être humain a tendance à penser qu'il ne peut être authentique que s'il est cohérent.

Or, l'être humain authentique ne peut pas toujours être cohérent.

Pour expliciter cette affirmation, prenons un exemple tiré du bestiaire amoureux.

Un matin, avant de se rendre au travail, une personne, homme ou femme, dit à son ou sa partenaire qu'elle l'aime. En l'embrassant, elle lui parle de son désir d'être déjà à ce soir pour le ou la retrouver. Cette personne est sincère. Mais cette même journée, on lui présente au bureau un nouveau collaborateur ou une nouvelle collaboratrice. Lors d'une première réunion de travail, la personne découvre un être pétillant, brillant et intelligent et oublie tout à fait que deux heures auparavant, elle a dit un peu légèrement mais très sérieusement à l'homme ou à la femme qu'elle a quitté les yeux brillants qu'il était l'être le plus désirable de l'univers. Le temps d'une réunion, subjuguée par le charme d'un être nouveau, cette personne oublie totalement combien elle aime celui ou celle qui l'accompagne dans la vie de tous les jours. Porté par ses états d'âme[7] et par la douceur de sa nouvelle connaissance, cette personne sent qu'elle serait prête à sortir de la vie de sa compagne ou de son compagnon pour un horizon complètement nouveau. Pourtant, apparemment, rien ne manque à sa vie.

Dans les faits, cette personne a cessé d'être *cohérente*. Effectivement, elle n'avait pas à dire à l'être qu'elle aimait combien elle le désirait si c'était pour regarder quelqu'un d'autre avec la même flamme de désir deux heures après. Et pourtant, dans les deux situations et au cours des deux échanges, aussi bien à la maison qu'au bureau, la personne n'a pas cessé d'être *authentique*. L'être humain découvre son cœur social. L'être humain découvre que son langage l'engage. Nul homme, nulle femme ne devrait jamais dire à aucun autre être qu'il est l'être le plus désirable qui soit.

Pourquoi, me direz-vous ? Eh bien, d'abord parce qu'il n'a pas encore rencontré tous les spécimens de l'espèce humaine ; ensuite, plus sérieusement, parce que dire à un être « qu'il est le plus désirable qui soit » n'a pas de sens, la notion d'intensité en matière de désir étant beaucoup trop subjective. En même temps, tous les amants du monde éprouvent, de temps à autre, le désir de tenir des propos au caractère définitif. L'exaltation est même le pain quotidien de certains amants. *Authentiques* auprès de leurs amours, ils ne pourront pourtant pas toujours être *cohérents* avec les propos qu'ils emploient. Mais ils ne sont pas malhonnêtes ou menteurs pour autant !

Ces exemples ne sont que des exemples simples, voire simplistes, mais ils nous aident à comprendre clairement une chose: l'être humain, précisément parce qu'il est un être humain, ne vit pas selon la logique d'un robot programmé pour fournir toujours les mêmes réponses face à son environnement. L'être humain existe avec ses états d'âme, la pression de ses hormones, sa joie de vivre et ses découragements, son exaltation et ses angoisses. Cessons de faire comme si l'homme et la femme étaient des animaux logiques. Nous savons fort bien qu'ils ne le sont pas.

> *Entre un homme et une femme,*
> *les mêmes causes ne produiront jamais les mêmes effets.*

Il y a des soirs où votre partenaire aura envie d'aller au restaurant et des soirs où il n'en aura pas envie. Ne lui demandez pas d'être cohérent et, parce qu'il avait envie de restaurant il y a trois jours, d'avoir désormais «toujours» envie ou «jamais» envie d'aller au restaurant. Par contre, il est essentiel de plaider en faveur de l'authenticité et, par conséquent, de s'assurer que lorsque nous disons «oui» ou «non» à quelque proposition que ce soit, c'est bien le cœur qui parle.

La première rencontre du couple a été authentique, il n'y a pas de raisons d'en douter. Le «coup de foudre» biochimique est une réalité et certains l'éprouvent. Mais devant la grâce de ce qu'ils vivaient, les hommes et les femmes ont décidé alors que leur relation devait s'approfondir et durer. Ce qui s'était produit la première fois en toute spontanéité doit aujourd'hui se poursuivre et s'approfondir au milieu des autres couples. Le rapport amoureux individuel devient un rapport social. Désormais, l'homme et la femme se contrôlent dans l'environnement pour produire ensemble une image conforme du couple. Ils gardent le contrôle pour permettre à leur relation de durer. Ils doivent devenir un couple au milieu d'autres couples auxquels ils se mettent à ressembler afin d'éprouver inconsciemment (puisque leur déplacement est inconscient) l'image sociale de leur couple. En se déplaçant à la droite ou à la gauche l'un de l'autre dans la rue, ils traduisent visuellement ce dilemme.

C'est ainsi que dans la tête des hommes et des femmes, la cohérence devient la valeur primordiale de la relation. Elle devient plus importante que la vérité et la réalité de l'amour qu'ils partagent. Il faut que la relation ait un sens social. Ils vont chercher à donner le change en ressemblant aux couples qu'ils connaissent. Ils vont vouloir que lorsqu'ils se promènent en couple, les êtres qu'ils croisent croient à leur couple, qu'il ait l'air cohérent. Le seul problème, c'est qu'entre-temps, l'homme et la femme sont devenus tellement avides de cohérence sociale qu'ils ont oublié une chose de toute première importance : s'aimer.

Pour bien comprendre l'importance inconsciente que joue le souci de cohérence dans l'esprit et le cœur de l'être humain ainsi que les enjeux qui y sont rattachés, nous voulons présenter ici les conclusions d'une expérience scientifique réalisée par une équipe de chercheurs, dans le cadre d'un protocole très codifié. Cette expérience permet de mesurer avec plus de précision l'impasse dans laquelle l'homme et la femme s'engagent lorsque, sans le savoir vraiment, ils ont à choisir entre authenticité et cohérence.

L'expérience a été réalisée par une équipe américaine sur des cerveaux dits « commissecturés[8] ». Derrière ce terme savant se cache une réalité assez simple que nous avons par ailleurs évoquée: à la suite d'une opération chirurgicale, les informations ne circulent plus d'un hémisphère cérébral à un autre. Chaque hémisphère est donc totalement autonome.

Dans le cadre de cette expérience, un être humain opéré et placé en milieu hospitalier se prête à un petit exercice. Sur un morceau de papier, un ordre est écrit. Cet ordre simple est envoyé en direction de l'hémisphère droit de son cerveau: «Marchez.» Conformément à l'ordre, la personne se lève de sa chaise et fait quelques pas. Le neurochirurgien demande alors à la personne pourquoi elle est debout. La personne dont le cerveau est commissecturé ne peut pas connaître la réponse simplement parce que l'hémisphère responsable de la verbalisation n'a pas reçu de l'hémisphère droit les éléments indispensables à verbaliser. Bref, la réponse à apporter ne lui a pas été transmise. En toute bonne logique, la personne devrait donc se taire ou dire qu'elle ne sait pas. Au lieu de cela, la personne répond avec beaucoup d'aplomb: «Je vais à la maison chercher un jus d'orange.»

Pour les besoins d'une expérience, alors que vraiment rien ne l'y obligeait, l'hémisphère gauche, qui n'avait pas reçu l'information nécessaire, est allé de lui-même chercher la justification à ce comportement. Il a donc menti! En toute spontanéité, l'hémisphère gauche a «bricolé» une réponse pour que la personne objet de l'expérience ne perde pas la face et que l'action d'être debout semble logique. Dans le cadre de cette expérience, rien ne poussait cette personne au mensonge. Elle n'avait pas à trouver de justification morale au fait d'être debout, pas plus qu'elle n'avait de rôle particulier à jouer ou à assumer. Mentionnons que cette expérience a été renouvelée par la même équipe sur d'autres hommes et d'autres femmes pour aboutir aux mêmes résultats: l'expression de «mensonges».

L'homme et la femme ne sont pas menteurs par goût, mais la programmation dont ils font l'objet est beaucoup plus profonde. *L'être humain semble programmé pour que son comportement apparaisse comme toujours logique et cohérent.* La société, pour sa part, n'émet qu'une demande, mais elle est très claire : elle prescrit à l'être humain d'être logique ! Alors, lorsqu'il ne sait pas, ce dernier va puiser dans un module situé dans son hémisphère gauche des arguments de logique. Il ment, mais son comportement est social, il reste cohérent et la morale est sauve. Et ce, parfois, comme dans ce cas, en toute inconscience.

Depuis qu'il est tout petit, l'être humain est préparé à être logique, mais il lui faut veiller à être vraiment vigilant, car s'il met totalement son cœur sous l'éteignoir, il sera de plus en plus logique et cohérent, mais il risque de ne plus jamais pouvoir être authentique. Il risque même d'être peu à peu complètement déconnecté de ses émotions et sentiments intimes. Ceci est d'autant plus impressionnant que l'être humain a toutes les chances de ne pas s'apercevoir de ce qui est en train de se passer. Il pourrait même ne pas s'apercevoir qu'il triche avec ses émotions. Ce petit module situé dans le cerveau gauche peut lui permettre, si c'est nécessaire, de décrire verbalement en toute inconscience et en détail des émotions qu'il n'éprouvera pas et qui lui permettront de rester cohérent avec les situations sociales. Michel Gazzaniga est très clair lorsqu'il parle de ce module situé dans l'hémisphère gauche :

> *Tout comme il est chargé de fournir une explication détaillée des comportements de tous nos modules indépendants, il doit pareillement expliquer les événements de la vie réelle et les circonstances imposées par la culture. Le module interprète de l'hémisphère gauche, parce qu'il recherche de la cohérence et qu'il est connecté au système humain d'inférence, s'efforce*

donc de bâtir des théories concernant les causes des événements perçus. Le fait que notre cerveau accepte les théories élaborées par ce système ne manque pas non plus d'intérêt[9].

L'homme et la femme peuvent donc être amenés à se couper de leurs émotions sans s'en rendre compte, simplement parce qu'ils cherchent à être logiques et à croire à l'histoire qu'ils se racontent dans la rue lorsqu'ils marchent au bras de leur partenaire.

Mais en agissant de la sorte, l'être humain, s'il n'est pas vigilant, s'empêche d'écouter vraiment son cœur, d'être vraiment authentique. Pour respecter les impératifs d'un monde social, la personne droite et spontanée entre dans une logique où il va s'agir pour elle de s'agréger de manière simplement cohérente avec le monde dans lequel elle vit. Pour ce faire, elle va tirer de son hémisphère gauche toutes les ressources dont elle a besoin pour que son comportement soit toujours logique et qu'il ne puisse pas être critiqué ou dénigré par le groupe[10].

Il s'agit donc de se demander si ce n'est pas ce qui se passe chaque fois que l'homme et la femme se déplacent latéralement dans l'espace pour entrer dans une logique déterminée. Ils se conforment, se mettent à bâtir de la cohérence. Ils installent leurs émotions dans la durée en les réorganisant.

> *Le cœur bâtit de la cohérence.*
> *Il installe les émotions dans la durée en les organisant.*

La logique humaine est en effet une logique de la durée, de la stabilité et, dans ce contexte, les mots « pour toujours » échangés entre l'homme et la femme ont sans doute pour effet de propulser l'homme à gauche et la femme à la droite de l'homme. Le couple est à la recherche de cohérence, davantage que d'écoute intime.

LE MOUVEMENT DU CŒUR EST UN MOUVEMENT DE POSSESSION

Les hommes et les femmes s'aiment moins qu'ils n'aiment se posséder socialement. La possession est inscrite très profondément dans leurs comportements. Leur cœur lui-même leur joue des tours puisqu'il les entraîne à se déplacer latéralement dans un souci de cohérence avec la réalité de leur couple. D'ailleurs, faites vous-même une expérience pour mesurer les exigences de cohérence sociale. Osez dire à un être du sexe complémentaire au vôtre que vous êtes « libre ». Presque systématiquement, l'autre prendra cette assertion, « Je suis libre », comme une invitation ou une proposition déguisée. L'être libre doit absolument s'agréger à quelqu'un, sans quoi il est rapidement lu comme un cas social, un être « seul », seul donc malheureux ! Les logiques qui s'animent ici sont implacables et elles avancent comme des petits vélos. Des petits vélos dont les roues sont carrées.

Dans le même ordre d'idées, regardez la façon dont les personnes seules sont considérées lorsqu'on les invite dans une soirée, au milieu de couples. Pour peu qu'elles soient un peu séduisantes, elles sont pointées du doigt et presque systématiquement regardées comme les personnes qui vont chercher à « prendre » le mari ou la compagne d'un tel ou d'une telle. Les personnes libres sont d'ailleurs sans cesse obligées d'affirmer ou d'expliquer leur différence. Leur liberté ne va jamais d'elle-même. Elle apparaît toujours comme l'expression d'une solitude.

Notez encore qu'une femme ne dira pas «je te présente le mari»; elle use de la forme possessive et présente «son» mari alors qu'un homme présente «sa» compagne. Dans ces conditions, celui ou celle qui est seul(e) doit affirmer qu'il ou elle est indépendant(e). Mais cette liberté ne semble jamais être lue comme une liberté; elle passe plus souvent pour le groupe comme une impossibilité à trouver quelqu'un à accrocher à son bras. La solitude est toujours «pesante». Il faut absolument rompre avec elle. La norme du groupe prévaut sur celle de la personne seule. Elle lui est hiérarchiquement supérieure.

Dès lors, le terrain sur lequel un homme et une femme s'engagent dès qu'ils se rencontrent devient vite terrain de sables mouvants... Si l'homme et la femme se rencontrent, c'est pour que les choses durent, c'est le seul intérêt social de leur rencontre. Personne ne se soucie de l'authenticité du rapport et chacun pensera que le fait même de se quitter démontre que l'attitude qui a consisté à se rencontrer n'était pas cohérente puisque «ça n'a pas marché». Personne ne dit jamais: «Ce qui était important, c'était simplement de se rencontrer et que cette rencontre soit belle.» Chaque homme se précipite donc vite à la gauche de la femme ou espère que la femme se projette vite à sa droite pour que le rapport devienne un rapport conventionnel satisfaisant. De son côté, la femme ressentira les mêmes angoisses spatiales inconscientes.

Le cerveau renvoie l'homme et la femme aux limites de leur authenticité en toute liberté. Et cela se traduit par leur positionnement dans l'espace.

> *Si l'homme et la femme sont authentiques avec eux-mêmes,*
> *ils garderont les mêmes positions dans l'espace*
> *lorsqu'ils sont ensemble.*
>
> *En revanche, s'ils se déplacent latéralement,*
> *c'est parce qu'ils cherchent à rendre leur rapport cohérent;*
> *ils lui donnent un sens social.*
>
> *Mais ils ne sont plus totalement spontanés.*
> *Le rapport amoureux devient un rapport social.*

Visiblement, comme le montre l'expérience réalisée sur des cerveaux dits commissecturés, il faut absolument rendre logique et cohérent ce qui se passe, en toutes circonstances, quitte d'ailleurs à trouver n'importe quelle justification à son propre comportement.

Dans le rapport amoureux, le rapport social fondé sur la cohérence n'a pas forcément grand-chose à voir avec l'amour qui a présidé à la rencontre. C'est d'ailleurs sans doute une des raisons qui expliquent à terme la fuite des hommes et des femmes loin l'un de l'autre. Ils fuient parce qu'à trop vouloir chercher la cohérence, ils s'empêchent d'être vraiment heureux, d'être vraiment authentiques.

Le pèlerinage au cœur du rapport amoureux, en ordre de procession dans la rue, laisse à penser que le contrôle sur la relation est primordial. Le cœur n'est pas exempt de ce mouvement. C'est pourquoi deux cœurs individuels qui battaient fort le premier jour de leur rencontre laissent peu à peu la place à deux cœurs à la recherche de cohérence, deux cœurs reprogrammés pour le rapport de couple qui succède à la rencontre.

Le cerveau et le cœur œuvrent de concert

Le cerveau programme l'homme et la femme
à se déplacer latéralement
de manière à exercer une meilleure emprise sur la relation.
Le cœur prescrit à l'être humain d'être toujours cohérent.

L'homme et la femme sont entrés ensemble dans un rapport de possession sociale pour lequel ils semblent programmés. En agissant ainsi, en se déplaçant comme ils le font dans l'espace de la rue, l'un des membres du couple ou les deux ont choisi la cohérence sociale plutôt que l'écoute de leurs sentiments.

Cette possession sociale vécue par les corps dans la rue, lorsqu'ils se promènent ne formant plus qu'une seule silhouette, un «corps social», s'accomplit sur le «corps intime». La possession sociale s'affirme alors en tant que possession sexuelle. L'homme ou la femme, l'homme et la femme, victimes du Syndrome d'amour, se rassurent sur la réalité de leur relation en passant par les voies de la possession physique du corps de l'autre. C'est ce qu'il s'agit de voir maintenant.

Chapitre 6

LE SYNDROME D'AMOUR ET LA POSSESSION SEXUELLE DE L'AUTRE

Le sentiment de possession-protection est profond chez l'être humain. L'homme et la femme sont tellement désireux d'exister dans un couple traditionnel, tellement avides de cohérence sociale, qu'ils ont souvent oublié la légèreté de la relation, oublié en chemin de continuer à regarder l'autre. Ils sont peu à peu étouffés par le Syndrome d'amour. Le sentiment de possession-protection inhérent au conditionnement est social; il est également sexuel.

Mais d'abord, l'amour physique a-t-il quelque chose à voir avec la possession sexuelle ou, pour être plus clair: Est-ce que faire l'amour avec l'autre, c'est chercher à le posséder?

La meilleure façon de répondre à cette question est sans doute de regarder du côté de la possession en tant que telle. L'attitude des «possédants», l'observation de leur comportement sexuel devraient nous permettre de mesurer le lien possible entre la propriété matérielle et l'accès à la propriété intime. Si tel est le cas, les êtres dominants intéressés par la possession de biens ne se contenteront pas seulement de s'approprier l'autre dans l'espace de la rue, mais rechercheront également la possession de son corps. Bref, pour les «possédants», la conquête devrait s'achever par la possession sexuelle. Le Syndrome d'amour passerait donc par la crainte de perdre l'autre en perdant la propriété de son corps.

La vie des possédants avides de pouvoir est bien connue et décrite. Ils ont leurs observateurs sérieux et leurs paparazzi légers. Dominants, ils aiment affirmer leur pouvoir en montrant qu'ils possèdent d'importants biens matériels. Si leur sexualité s'avère de son côté très exacerbée, un rapport pourrait alors être établi entre la sexualité et la propriété. Propriété matérielle et propriété intime auraient bien les mêmes ressorts. Bien entendu, pour que le raisonnement soit valide, il faudra que d'un autre côté, ceux qui ne possèdent rien aient une sexualité toute différente[1]. Si la sexualité a bien partie liée avec la possession, les êtres complètement écartés, exclus du monde social, dénués de biens, devraient en toute bonne logique avoir une sexualité très atone pour ne pas dire inexistante. Il s'avère que de tels êtres exclus depuis la naissance ont existé et qu'ils ont été baptisés: *les enfants sauvages*[2]. Les interroger sur le terrain de leur sexualité devrait nous permettre de comprendre mieux quels types de rapports les êtres humains tissent au-delà de la sexualité, lorsqu'ils font l'amour.

Mais avant toute chose, observons les dominants et les enfants sauvages.

LA POSITION SOCIALE: UN ÉLÉMENT DÉTERMINANT EN MATIÈRE DE DÉSIR

Les possédants sont dominants. Ils sont riches et ils ont du pouvoir. La possession de biens concrétise leur domination sociale en la rendant visible, apparente. Leur possession de capital économique leur permet d'être socialement reconnus et de transformer ainsi leur capital économique en capital symbolique. L'expression «On ne prête qu'aux riches» résume assez bien cette réalité. Un «capital» de confiance ou plutôt un «crédit» de confiance est accordé aux gens dont le prestige est reconnu et qui renforcent ce capital en montrant qu'ils possèdent des biens luxueux. Ils attirent à eux ainsi davantage de capital[3].

La libido de ce groupe social ou, pour être plus concret, son «appétit sexuel» a été très étudié et fait désormais l'objet de sondages, de textes, d'études et de recherches de toutes sortes. C'est pourquoi une photographie bien claire de cette réalité existe aujourd'hui, riche de diverses sources documentées recoupant par ailleurs les observations réalisées par les spécialistes des hiérarchies animales.

Sur le terrain libidinal, il semble que les dominants définis comme des possédants aient tendance à reproduire exactement les mêmes schémas que ceux qui sont mis en place sur le terrain social. Animal à sang chaud, le dominant désire et sa libido est plus intense que celles d'êtres moins gratifiés socialement. Le désir sexuel est donc très présent dans son imaginaire. Les dominants, qui ont donc un appétit sexuel bien aiguisé, bénéficient sur le plan de la libido des bienfaits de leur gratification sociale[4]. Ils ne sont pas seulement plus désireux d'avoir une libido épanouie et intense. Ils semblent également plus attractifs sexuellement aux yeux de leurs partenaires.

Pour un homme, le fait de se positionner comme un être dominant, notamment par sa tenue vestimentaire, semble permettre d'accroître son potentiel de séduction, de passer aux yeux de l'autre comme plus séduisant et plus désirable[5]. Dans le même ordre d'idées, le fait de porter des couleurs foncées, lesquelles sont perçues comme les teintes les plus sérieuses, donnerait un supplément de prestige. Les clichés programmés dans les cerveaux fonctionnent ainsi avec efficacité. Les gens qui réussissent sont sérieux et solennels, et ils portent les couleurs foncées témoins de leur sérieux et de leur solennité[6]. Dans le même ordre d'idées, les êtres les plus grands, qui sont les plus dominants par la taille, semblent mieux réussir socialement que les autres, plus petits. Une étude américaine montre que les hommes mesurant 1,80 mètre et plus occuperaient des postes de responsabilité majoritairement plus importants que les autres. Le grand impressionne davantage que le petit. S'il impressionne, c'est donc qu'il fait une impression. Il a l'air plus solide. Inconsciemment, le capital de confiance qui lui est accordé est important. Et pour aller vite, le pouvoir symbolique des grands apparaît donc comme supérieur à celui qui est accordé aux petits.

Le prestige social acquis à partir de l'apparence physique donne un gage de sérieux qui renforce le charme des êtres d'apparence prestigieuse. Il leur permet de valoriser leur image et d'en tirer une gratification libidinale. Un lien entre prestige et libido semble se dessiner, mais le rôle des hormones et notamment de celles qui sont les plus présentes dans le domaine de la sexualité éclaire davantage encore le débat.

Prenons le cas de la testostérone, une hormone qui, généralement, est hautement valorisée parce qu'elle tient une place importante dans la vie de l'être humain, de l'homme en particulier (mais pas seulement). Dès la naissance du bébé, elle est responsable de la masculinisation de l'enfant. Elle intervient également dans les conduites agressives. Il semblerait enfin que dans le cadre de l'acte sexuel, elle soit très intimement impliquée dans le phénomène du désir et plus encore du plaisir.

Précisons que cette hormone entre en jeu et expliquerait un certain nombre de comportements des êtres de pouvoir. De nombreuses études montrent en effet que les activités sexuelles des chefs sont également liées à un fort taux de testostérone dans le sang[7]. Le Dr Dabbs, de l'université américaine de Géorgie, a fait des découvertes très intéressantes à partir de la salive recueillie sur des hommes et des femmes. Il a mesuré la concentration en testostérone de ces diverses salives pour noter finalement que les êtres les plus performants sont ceux chez lesquels la concentration de testostérone ainsi mesurée était la plus forte. Son étude porte sur des milieux très divers. Elle va du cadre supérieur à l'ouvrier en passant par le religieux, le détenu ou le sportif. Il note que les mêmes phénomènes sont observés chez les hommes et chez les femmes. La libido des dominants semble bien être plus intense que celle des dominés. En cela, les êtres humains ne seraient pas différents des grands singes dont l'assouvissement sans répit du désir sexuel apparaît complètement intégré au ressort même de leur dominance.

La sexualité des dominants, envisagée à la lueur de ce que nous avons dit jusque-là, apporte des indices en faveur du lien entre forte sexualité et dominance. Pour *le dominant, posséder socialement ne suffirait pas en soi; posséder, ce serait donc prendre à un double niveau: prendre socialement et prendre sexuellement.* Possession sociale et possession sexuelle se répondent. Le désir qui aimante l'homme à la gauche de la femme, la femme à la droite de l'homme semble donc bien corrélatif à la possession du corps.

La possession s'affirme et s'approfondit grâce à la sexualité.
Elle devient une possession sexuelle.

Notons que pour le confort de la langue écrite, nous parlons de dominants en privilégiant l'emploi du genre masculin. Mais il reste qu'en ce domaine, les hommes et les femmes développent exactement le même type de réflexes. En effet, lorsqu'elles sont interrogées ou sondées, les femmes de pouvoir accordent à l'appétit sexuel la même importance que celle accordée par les hommes.

L'ethnologue Gregory Bateson a travaillé en son temps sur la sexualité. La société traditionnelle balinaise[8] l'a aidé à mettre en relief un certain nombre de phénomènes permettant de relier la sexualité à une certaine forme d'accomplissement social et à la propriété. Il nous invite à penser que toutes les formes d'exaltation ou de recherche de paroxysme, et notamment de paroxysme sexuel, pourraient être reliées aux formes de propriété de nos sociétés. Dans le Bali traditionnel des années 1960, les mères ont pour rôle d'éveiller leurs jeunes garçons à la sexualité. Pour ce faire, elles ne font rien de moins que caresser le sexe de leurs jeunes garçons jusqu'au moment où les enfants commencent à exprimer du plaisir. Elles relâchent alors leurs caresses et se détournent de leurs enfants en riant bruyamment. Le futur fondateur de l'école de Palo Alto s'est montré intrigué par cette coutume dont nous aurions facilement tendance à penser qu'elle est pour le moins castratrice. Mais ce qu'a compris Gregory Bateson est riche d'enseignements. Il nous permet d'appréhender autrement les rapports hommes-femmes que nous mettons en place dans nos sociétés individualistes.

L'organisation sociale de Bali est celle d'une société traditionnelle de type «holiste», c'est-à-dire d'une société dans laquelle l'individu se dévoue pour le groupe. Par exemple, tout ce que les Balinais produisent est intégralement brûlé lors de grandes fêtes liturgiques plusieurs fois durant l'année. Dans cette société, personne ne peut vraiment se différencier par la propriété et les richesses puisque à peine produites elles sont déjà brûlées[9]. Mais il est intéressant de noter que cette société traditionnelle semble parallèlement avoir exclu, de manière générale, tout rythme violent ou passionné, tout paroxysme sur différents plans. Toute personne ayant entendu la musique balinaise très douce jouée sur un rythme toujours égal comprendra facilement de quoi il retourne.

Selon Gregory Bateson, plus une société est tournée vers l'accumulation des biens, plus elle est tournée vers la performance sur tous les plans. Dans les sociétés traditionnelles qui ne sont pas organisées autour de la performance et de l'accumulation des biens, la sexualité est également plus douce. Le rapport physique semble même exclure une grande part de sa violence. C'est en tous les cas ce qu'à Bali, dans la société traditionnelle, les mères apprennent à leurs fils très jeunes.

Le recul de la société traditionnelle balinaise permet de comprendre combien, dans nos sociétés modernes, la sexualité se trouve au cœur du rapport social. «Faire l'amour» n'est pas simplement le moyen de passer un moment agréable, mais c'est également la façon la plus commode de conquérir l'autre et de posséder son corps. Ainsi, dans nos sociétés individualistes, l'amour doit être performant parce que la performance sociale est importante. Le rôle et l'intérêt du paroxysme orgasmique y sont donc beaucoup plus centraux. La propriété de l'autre passe par la jouissance dans un rapport amoureux permettant de contrôler son partenaire. Le Syndrome d'amour exprimé comme la peur de voir l'autre s'échapper traverse sans doute le clivage des rapports sexuels.

La sexualité a ceci d'intéressant qu'elle est le seul type de rapport humain dans lequel la jouissance passe par l'abandon. L'être qui aime ne peut jouir que s'il laisse tomber tout contrôle sur la relation. Il ne peut pas jouir si à un moment ou à un autre il ne s'abandonne pas. Dans la sexualité, les êtres se donnent et se prennent conjointement. Parce que le rapport est complètement égalitaire et synallagmatique (bilatéral ou réciproque), le don total de soi permet également de posséder totalement l'autre durant le moment fugace de la jouissance amoureuse. Il y a ainsi dans l'amour un moment où l'amant a le sentiment, parce qu'il perçoit sa jouissance, que l'autre s'est totalement abandonné et qu'il le possède totalement. L'exacerbation de la sexualité, les rapports sexuels fréquents auraient ainsi pour vocation de vérifier et de renforcer le droit de propriété d'un amant sur l'autre ou de deux amants l'un sur l'autre.

> *Entre la dominance et l'intensité de la sexualité, il existe un rapport certain.*
>
> *L'amour physique et la possession de l'autre à travers son appropriation sexuelle semblent très liés.*

Entre la dominance et l'intensité de la sexualité, il existe un rapport certain. Mais pour que la démonstration soit vraiment concluante et aboutie, il importe de comprendre comment se comportent sexuellement les exclus, ceux pour qui cela ne signifie rien de posséder et de contrôler, précisément parce qu'ils ne possèdent et ne contrôlent rien[10].

Mais d'abord, de tels êtres existent-ils? Oui, ils existent, mieux connus sous le nom de ces enfants que nous appelons *les enfants sauvages*. Exclus de toute hiérarchie sociale, ils ont vécu loin de la compagnie des êtres humains, sans jamais s'intégrer pour autant aux hiérarchies animales. Voyons, grâce à eux, si l'hypothèse qui veut que l'absence de possession se traduise par l'atonie ou l'absence de sexualité se vérifie.

À travers les deux exemples du dominant et de l'exclu, qui reflètent les deux extrêmes de la chaîne de la propriété matérielle, le lien entre la possession amoureuse et le désir de contrôler l'autre, d'en détenir la propriété jusque dans la rue, prendra alors tout son sens et permettra d'éclairer plus définitivement encore le Syndrome d'amour.

La pauvreté des désirs de l'enfant sauvage

Certains petits êtres ont été abandonnés à leur naissance ou peu après leur naissance dans la nature. Contre toute attente, certains d'entre ces êtres humains ne sont pas morts. Contre toute attente, à l'écart de la compagnie des hommes, ils ont parfois été élevés par des animaux et sans doute, pour être plus exact, «parmi» les animaux plutôt que «par» eux.

À l'écart des humains mais aussi de leurs normes sociales et de leurs jugements, ces «petits d'homme» sont ainsi restés en contact avec leurs pulsions profondes sans être brimés par les interdits sociaux. C'est pourquoi ces êtres non socialisés nous renvoient une figure de l'amour et du désir «pur», expurgé de toute convention sociale. Ils nous éclairent sur une partie de nous-mêmes à laquelle nous n'aurions sans doute jamais eu accès sans eux. La partie d'ombre de l'homme et de la femme, qui n'a jamais été socialisée et qui est mise en pleine lumière bien malgré eux par les enfants sauvages. Grâce à ces enfants «différents», à ces êtres qui ne possèdent rien, le lien tissé entre la sexualité et le désir de possession devient alors très clair.

Homine feru est le terme latin qui désigne en français «l'enfant sauvage». Cinquante-deux cas sont aujourd'hui répertoriés.

Si nous parlons en général d'enfants sauvages, les spécialistes préfèrent pour leur part introduire davantage de précision et parlent plus volontiers d'enfants loups, d'enfants ours, d'enfants veaux, d'enfants truies, d'enfants panthères, d'enfants singes, d'enfants gazelles. Ils désignent ainsi l'animal auprès duquel ces enfants ont été retrouvés. Le plus jeune cas recensé au moment de sa découverte était une petite fille de deux ans élevée avec sa grande sœur de huit ans par un couple de loups. Ces deux petites sauvageonnes vivaient elles-mêmes avec deux louveteaux.

Pour être exhaustif, il faut aussi compter avec l'observation *d'autres* enfants identifiés comme des enfants sauvages, mais qui n'ont pas vécu ni même grandi avec des animaux même si tous ont en commun d'avoir ensuite préféré la compagnie des animaux à celle des humains. Certains de ces enfants se sont en effet élevés seuls et ont «poussé» dans la forêt à l'abri de tout regard humain.

Le degré de socialisation de ces enfants sauvages a beaucoup varié. Ils ont été le plus souvent placés dans des institutions, mais leur comportement a été suffisamment observé pour qu'on puisse dégager de grandes constantes. Plus spécifiquement, ce sont les divers précepteurs ayant recueilli ces enfants en leur temps qui ont les premiers abordé la question de leur sexualité. Comme ils relataient leurs observations dans de copieux rapports, la libido des enfants sauvages a ainsi fait l'objet de récits plus ou moins circonstanciés et détaillés.

Malheureusement pour nous, là où ces êtres «asociaux», donc véritablement «libres», peu marqués par les interdits, auraient pu nous laisser rêver à un nouveau printemps de l'humanité, libérée de ses conditionnements, nous nous apercevons, quelque peu déçus, qu'il n'en est rien. Dans la lignée de

Jean- Jacques Rousseau, nous aurions pu légitimement penser que, débarrassés de tous les tabous sociaux, loin des contraintes sociales, ces êtres pourraient avoir une sexualité épanouie. Or, ces êtres semblent connaître un fort affaiblissement de leurs pulsions sexuelles. Plus exactement, ils éprouvent peu de désirs physiques et lorsqu'ils les éprouvent, ces désirs semblent être sans objet. Tout se joue comme si ces êtres ne parvenaient pas à identifier clairement les désirs qui les traversent. Ils vivent plutôt leurs pulsions de façon agressive, sans comprendre que leur assouvissement passe par le canal de la sexualité.

Tous les précepteurs ou gardiens qui ont eu en charge des enfants sauvages à un moment ou un autre sont unanimes. Ils s'accordent tous pour évoquer la pauvreté des pulsions sexuelles de ces êtres. Lucien Malson, professeur de psychologie sociale, fort de la recension de plus d'une centaine de sources différentes sur le phénomène des enfants sauvages, écrit comme pour enrichir notre propos: «*L'appétit de la libido est loin d'apparaître aussi étroitement lié au biologique dans l'homme.*»

Puis il détaille quelque peu:

Tous les auteurs notent, avec un certain étonnement du reste, l'indifférence sexuelle de l'«homo ferus». Tomko manifestait de la répugnance devant les invites érotiques, le «pauvre Gaspard» une extrême froideur, et Peter vécut jusqu'à la vieillesse sans désir manifesté. C'est à peine si Victor Kamala adolescente et l'enfant de Kronstadt après trois ans de vie sociale, laissaient apparaître de vagues pulsions[11].

Pour sa part, Jean Itard, le précepteur de Victor de l'Aveyron, a pris en charge le garçon tout de suite après sa découverte. Dans un mémoire destiné au gouvernement de l'époque[12], il aborde une piste intéressante relative aux pulsions sexuelles de l'enfant. Il écrit:

> *Ce qui, dans le système affectif de ce jeune homme, paraît plus étonnant encore et au-dessus de toute explication, c'est son indifférence pour les femmes, au milieu des mouvements impétueux d'une puberté très prononcée… J'attendais chaque jour qu'un souffle de ce sentiment universel qui meut et multiplie tous les êtres vînt animer celui-ci et agrandir son existence morale. J'ai vu arriver ou plutôt éclater cette puberté tant désirée, et notre jeune sauvage se consumer de désirs d'une violence extrême et d'une effrayante continuité, sans pressentir quel en était le but, et sans éprouver pour aucune femme le plus faible sentiment de préférence.*

Les observations faites sur ces enfants sauvages sont riches d'indications. Chez eux, le désir physique n'était pas dirigé vers la sexualité, comme il aurait dû l'être, simplement parce que ces enfants ignoraient ce qu'était la sexualité. Ils ne savaient pas que lorsqu'un corps rencontre un autre corps, la pulsion s'accomplit dans le plaisir. Les désirs semblent donc bien devoir être nourris par des images qui traversent l'imaginaire. Ces images mémorisées sont autant d'impulsions qui nourriront ensuite de nouveaux fantasmes et éveilleront des désirs nouveaux.

Le conditionnement social s'exprime sans doute lui aussi sous la forme d'images gravées dans la tête des hommes et des femmes. En tenant un rôle jusque dans l'expression sexuelle des désirs, il constitue la preuve que conditionnement social et sexuel sont intimement liés. Et dans ces conditions, ce n'est sans doute pas demain que les hommes amoureux cesseront de se précipiter à la gauche des femmes et les femmes amoureuses à la droite des hommes.

Toutes les études, qu'elles s'intéressent aux groupes sociaux les plus favorisés, c'est-à-dire les dominants, ou à ceux qui sont les plus exclus, plaident ainsi en faveur du conditionnement sexuel. Et toutes ces observations montrent que nos rapports amoureux sont loin d'être libérés de l'expression du désir telle qu'elle est exprimée par le groupe.

Le *Syndrome d'amour* lié au désir de possession de l'autre est inscrit profondément en l'être humain. Le besoin de s'adjoindre l'autre, de le posséder, d'en devenir le propriétaire est renforcé par notre imaginaire. Dominer, ce serait donc posséder socialement et posséder sexuellement. Mais cela n'aurait pas de raison d'être si l'imaginaire lui-même n'était pas nourri d'images et si, dès l'origine de la vie, l'être humain n'était pas intégré à un groupe social.

La pauvreté des fantasmes des enfants sauvages exprime la pauvreté de leur sexualité. Dans l'ordre inverse, ce n'est sans doute pas par hasard que les eunuques castrés continuent à éprouver du désir tant qu'ils conservent une mémoire de l'acte sexuel. Des études démontrent que des animaux qui n'ont plus de mémoire, notamment les singes, deviennent vite impuissants. Et s'ils retrouvent leur vigueur sexuelle, ce n'est qu'après l'injection d'hormones qui leur permettent de recouvrer la mémoire[13].

Entre les hommes et les femmes, la sexualité scellerait donc ce pacte au terme duquel s'aimer serait « se prendre » donc se posséder. À une période impossible à déterminer précisément, des codes de propriété, des codes d'appropriation sont nés dans les hiérarchies animales et humaines, des codes intégrés par le cœur lui-même. Et ce sont ces mêmes codes ou des codes comparables qui sont aujourd'hui encore en vigueur dans la rue, lorsque les hommes et les femmes marchent au bras l'un de l'autre.

Ainsi, nous avons vu l'importance de la valeur sociale de la rencontre et du souci de cohérence du comportement humain. Le cœur prend en compte des choix de cohérence sociale et révèle l'amour vécu comme une forme de *possession sociale* (chapitre 4).

Ce désir de posséder l'autre s'exprime dans l'intensité de la libido et la *possession sexuelle* de l'autre permet de le posséder dans ce qu'il a de plus intime (chapitre 5).

Il s'agit maintenant de mesurer la réalité de la *possession proprement psychologique* de l'autre. Au cœur du Syndrome d'amour défini par la crainte irraisonnée d'être quitté par l'autre, posséder psychologiquement la personne que l'on aime permettrait ainsi de n'être jamais quitté, et d'être ensuite soi-même plus accompli.

Chapitre 7

LE SYNDROME D'AMOUR S'ACCOMPLIT DANS LA POSSESSION PSYCHOLOGIQUE DE L'AUTRE

L'imaginaire de l'homme et de la femme est nourri de mémoires diverses dont ils tirent leurs normes et leurs valeurs. Ces mémoires circulent d'oreille en bouche, d'être humain en être humain. Elles forment l'inconscient collectif[1].

C'est aussi l'inconscient collectif qui transforme la réalité en mythes. Ancré dans un mythe, le message d'un groupe traverse le temps. Les mythes n'ont pas de rapport direct avec la réalité, mais deviennent des références tangibles pour les êtres qui y croient. Ils entrent dans le langage. Ainsi, par exemple, dans le monde occidental, les parents d'un enfant n'ont pas besoin de connaître le mythe d'Œdipe pour que leur enfant « fasse son œdipe ». Mais s'ils vont voir le pédiatre de l'enfant, ils sortiront rassurés de son cabinet lorsque ce dernier aura étiqueté, mis un nom sur cet état normal du développement de l'enfant. Le père se sentira dès lors moins inquiet en ce qui concerne l'agressivité que son fils manifeste à son égard.

Le Syndrome d'amour ne s'est donc sans doute pas bâti en dehors de tout système de pensée. S'il existe, c'est que son expression a été favorisée par l'inconscient collectif. De grands mythes ont installé le Syndrome d'amour au centre de l'échiquier du cœur avec tellement de minutie que la rencontre entre l'homme et la femme devient tout à coup un formidable enjeu. C'est enfin pour cela qu'ils sont aimantés si fort l'un contre l'autre dès les premiers signes d'attachement.

D'ailleurs, sans l'intervention de références mythiques, pourrions-nous seulement expliquer que l'amour constitue un tel enjeu dans nos vies quotidiennes? Pourrions-nous expliquer que les êtres humains éprouvent autant le besoin de se refermer l'un sur l'autre, de se contrôler, de se protéger et de se posséder? Pourrions-nous expliquer que les hommes et les femmes souffrent ainsi du manque de l'autre dès qu'ils se retrouvent seuls? Et comment expliquer encore que des êtres parfois parmi les plus égoïstes renoncent à toute individualité au nom de l'amour? Personne ne se met en situation d'aliéner une part de soi-même sans de solides raisons pour le faire. Alors, que se passe-t-il?

Dans les faits, il semble qu'hommes et femmes se soient préparés mentalement à la rencontre en écoutant des histoires auxquelles ils ont tout simplement cru.

Parmi les histoires qui imprègnent l'inconscient collectif, deux d'entre elles sont profondément inscrites dans les cerveaux, consignées dans nos psychés, profondément installées dans le moelleux de nos inconscients. Elles ont traversé le temps, nourrissant de façon extrêmement efficace nos croyances sur l'amour et fertilisant son syndrome à souhait. Devenues des mythes depuis bien longtemps, ces deux histoires ont bien évidemment mobilisé toutes nos ressources dès que nous avons été en âge de mettre en œuvre leurs prédicats. Mais surtout elles ont œuvré pour nous conditionner. Grâce à elles, nous sommes tellement prêts à nous précipiter sur l'autre dès son apparition pour la rencontre amoureuse que cette dernière semble programmée pour avoir toutes les caractéristiques de l'étouffement.

La première de ces histoires est simple et ses préceptes nous sont transmis par la mythologie. L'Athénien Aristophane s'en est fait le messager auprès des êtres humains. Pour lui, chaque être humain est à la recherche de l'autre moitié de lui-même. La seconde histoire, source du deuxième mythe, s'abreuve de morale et de génétique. Les livres religieux ont largement favorisé son éclosion. Ce mythe nous enseigne «que l'être humain ne peut s'accomplir que dans la rencontre avec l'autre sexe», qu'il doit impérativement garder auprès de lui.

Ces deux mythes engrammés dans nos cerveaux engendrent donc des comportements précis. D'abord, il s'agit de «chercher l'autre» et ensuite de «garder l'autre» absolument. Ces mythes ont également signifié la punition pour l'absence de rencontre: le manque, ou plutôt un double manque, psychologique d'abord, affectif ensuite.

LE MANQUE PSYCHOLOGIQUE OU LE MYTHE DE LA QUÊTE DE L'AUTRE MOITIÉ

«Chacun d'entre nous cherche sa moitié.» Il s'agit là d'une formule dont les traces écrites ont été retrouvées en Grèce, il y a environ 2500 ans[2]. Lorsque l'on sait que l'alphabet grec est né il y a moins de 3000 ans, on voit bien à quel point cette formule est bien ancrée dans l'inconscient collectif symbolique. Et si cette formule tient encore l'affiche dans nos inconscients aujourd'hui, c'est sans doute parce qu'elle renvoie à quelque chose d'extrêmement profond. Ce mythe, tiré par Platon de la bouche d'Aristophane, nous parle des origines de notre civilisation:

Il y avait trois sortes d'hommes: l'homme double, la femme double et l'homme-femme ou androgyne. Ils étaient de forme ronde, avaient quatre bras, quatre jambes et deux visages opposés l'un à l'autre sur une seule tête. Vigoureux et audacieux, ils tentèrent d'escalader le ciel. Pour les punir, Zeus les coupa en deux, leur tourna le visage du côté de la coupure, afin que la vue du châtiment les rendît plus modestes, et chargea Apollon de guérir la plaie. Mais dès lors chaque moitié rechercha sa moitié, et quand elles se retrouvaient, elles s'étreignaient avec une telle ardeur de désir qu'elles se laissaient mourir dans cet embrasement de faim et d'inaction. Pour empêcher la race de s'éteindre, Zeus mit par-devant les organes de la génération, qui étaient restés par-derrière. De cette manière, les hommes purent apaiser leurs désirs et enfanter, et c'est ainsi que l'Amour rétablit l'unité primitive. Chacun d'entre nous n'est donc qu'une moitié d'homme et cherche sa moitié[3].

Les mythes ont ceci d'intéressant qu'ils révèlent avec la distance légendaire une part de nos vies, qu'ils éclairent. Ce mythe ancestral nous prépare à vivre le manque. Mieux encore, il nous exhorte à nous nourrir du *manque de l'autre*. Il nous dit clairement qu'une part de nous-même est à la recherche de l'autre. Il nous conditionne à ce que nous n'ayons de cesse de trouver la part de l'autre, cette part elle-même solitaire qui erre et nous cherche. Il le dit d'ailleurs très clairement: « *Chacun d'entre nous cherche sa moitié.* »

Il s'agit donc d'être fidèle à cette part de nous-même inconnue et errante. Le mythe de la quête de notre moitié qui est aussi l'autre, ce mythe est en nous. Oublier l'autre signifierait ne plus être fidèle et ne plus être présent à soi-même. Notre vie amoureuse ressemble donc à une longue errance dont le cadre est la tristesse. Et ce, pour deux raisons:

- D'une part, nous ne sommes jamais comblés.
- D'autre part, nous sommes toujours à *la recherche de.*

Ce mythe issu de l'inconscient collectif a la vie très dure et il se perpétue encore aujourd'hui partout dans le monde occidental où il est devenu un des horizons incontournables de l'amour. Il semble nous inciter à penser en ces termes : « Lorsque vous entrez en relation, dépêchez-vous d'officialiser vos rapports, il serait trop dommageable que vous soyez passé à côté de l'autre partie de vous-mêmes et l'ayez négligée. »

Dès lors, dans la rue lorsque nous nous promenons, il nous semble que nous n'avons pas le droit d'être insouciant alors que l'autre partie de soi est là, quelque part, et qu'elle procède elle aussi à une quête sans répit de l'autre. C'est pourquoi, dès que nous entrons en relation, nous avons tendance à penser que cette quête est peut-être achevée et que nous avons enfin trouvé ce que nous cherchions. C'est pourquoi nous nous précipitons vers l'autre.

> *Le premier mythe fondateur*
> *du Syndrome d'amour :*
>
> *chacun d'entre nous n'a d'autre objectif que*
> *de chercher sa moitié pour s'accomplir.*

Dans les faits, chacun de nous n'a-t-il pas nourri ce rêve étrange que quelqu'un d'autre quelque part nous attendait, un être dont nous avons le sentiment qu'il ou elle nous cherchait également, sans savoir ? Et que cet être était « pour » nous.

Chacun dès lors cherche souvent désespérément à voir l'autre partie de son âme dans le regard de l'inconnu(e) qui s'approche. Ainsi, au lieu d'apprivoiser ce nouveau regard avec tendresse, l'être se colle à l'autre avec toute la vigueur dont il est capable. Et à l'issue d'une promenade détendue dans une forêt d'érables ou de pins, Monsieur se retrouve à gauche de Madame et Madame à sa droite. L'amour naissant témoigne déjà des préludes de l'étouffement amoureux.

L'être humain se prépare à accomplir une course angoissante vers l'autre moitié de lui-même. Psychologiquement, rien ne s'oppose plus à ce qu'un être en possède un autre puisque l'autre n'est a priori que l'autre partie de lui-même. Les êtres humains vont d'ailleurs avoir le droit de se faire souffrir, puisqu'ils s'appartiennent. Le couple qui s'est reconnu va pouvoir se déchirer, ça ne regarde personne, puisque l'autre dans le couple est devenu une partie de soi-même, et une partie de son histoire dès qu'ils vivent ensemble

Ce discours venu des temps les plus reculés de la Grèce antique est si prégnant dans l'inconscient collectif qu'il prépare les hommes et les femmes à vivre l'exclusivité et l'exclusion. Tournés l'un vers l'autre, l'homme et la femme se suffisent l'un à l'autre et la situation de contrôle-protection qui les conduit à s'enfermer l'un sur l'autre dans la rue prend ici tout son sens. Une fois qu'ils se sont trouvés, l'homme et la femme n'ont qu'un objectif, ne plus se perdre et s'amarrer l'un à l'autre, jusqu'à la fin des temps. La rencontre avec l'autre moitié donne alors tout son sens à une vie qui jusque-là se cherchait.

Un couple nourri inconsciemment par ce mythe glisse pourtant immanquablement sur la pente de la séparation, car sa stratégie amoureuse est fondée sur l'étouffement. En même temps, tout est en œuvre pour que cette séparation n'ait pas lieu. Car se séparer, c'est retomber dans le manque. Dans cette dynamique, il n'y a donc jamais de solution acceptable. Et c'est peut-être une des raisons qui expliquent qu'il y ait si peu de couples équilibrés, ce que nous verrons plus loin.

Ce premier mythe nous met en contact avec le manque psychologique qui préside tant que l'être humain n'a pas contacté l'autre partie de lui-même. Cependant, un autre mythe va poursuivre et accomplir le travail de conditionnement. Après le manque psychologique, se profile le manque affectif. La frustration est alors totale et le manque absolu.

LE MANQUE AFFECTIF ET SON CATAPLASME, LE SYNDROME D'AMOUR

Le mythe de l'autre moitié propose à tous les hommes et à toutes les femmes de devenir des petits soldats qui partent à la conquête de l'autre. Se mettant en situation de manque, ils ne pourront pas trouver leur équilibre psychologique tant et aussi longtemps qu'ils n'auront pas trouvé cette autre partie d'eux-mêmes. Mais l'autre n'est encore jusque-là qu'un double, un miroir de soi. L'autre n'est qu'une forme de complémentarité. C'est donc de la morale relayée par la génétique qu'il faut attendre l'accomplissement dans la différence sexuelle. Cet autre mythe ne nous a pas été légué par le récit populaire. Il fait cette fois-ci appel au fond moraliste de la science: «Le principe femelle et le principe mâle doivent absolument se rencontrer pour que l'être humain soit accompli.»

À travers le mâle et la femelle, deux différences génétiques se rencontrent. Si au départ il s'agit bien d'une réalité, le mythe ajoute autre chose: si les caractéristiques génétiques de l'homme et de la femme sont différentes, leur psychologie le sera *donc* également. En d'autres termes, l'autre sexe est indispensable à notre accomplissement parce qu'il possède des qualités psychologiques différentes des nôtres. Nous verrons plus loin à quel point tout cela est effectivement un mythe[4]. Contentons-nous pour le moment d'épouser cette logique pour bien la comprendre.

L'homme est fait pour rencontrer la femme, la femme est faite pour rencontrer l'homme. Selon les règles de la génétique, l'homme et la femme sont effectivement différents et c'est à cause de cela qu'il leur faut d'abord se rencontrer. Leur accouplement est en effet indispensable à la reproduction de l'espèce. Mais s'il nous faut absolument rencontrer l'autre sexe, c'est pour une raison beaucoup plus fondamentale que l'amour physique. Chaque sexe posséderait en lui-même des composantes psychologiques dérivées de son fonctionnement hormonal et nous ne pourrions pas nous accomplir psychologiquement, mais surtout affectivement, tant que nous n'aurions pas rencontré un être d'un sexe différent du nôtre. Grâce à ses différences biologiques et psychologiques, cet autre va aider à notre accomplissement individuel.

L'homme et la femme : de la rencontre biologique à la rencontre psychologique

L'homme est masculin, il est le mâle, la femme est féminine, elle est la femelle. Leurs différences les destinent l'un à l'autre. De la sorte, comme ils existent par leurs différences, toute personne qui vise l'accomplissement individuel, homme ou femme, doit remplir deux conditions :

- Elle doit être bien conforme à son sexe.
- Elle doit absolument s'agréger à l'autre sexe si elle veut prétendre à l'accomplissement.

C'est à partir de la toute première identité qui est l'identité sexuelle que se bâtit toute la structure affective de l'être humain. Cette première identité est à la base d'un principe, *le principe mâle pour les hommes et le principe femelle pour les femmes*. Cette identité se forme alors que le fœtus encore indistinctement sexué est nourri de testostérone mâle ou d'œstradiol femelle. Mais elle est également renforcée par l'image que le milieu, et de manière prépondérante le père et la mère, vont projeter sur le nourrisson. C'est dans l'identification ou le rejet de ces images que se produit ou non l'intégration de l'événement biologique. En d'autres termes, l'intégration de l'image du père pour le petit garçon l'aide à intégrer le principe mâle alors que l'intégration de l'image de la mère par la petite fille lui permet d'intégrer le principe femelle.

L'homme, produit d'une triple renonciation

L'homme n'est pas un homme au moment de la procréation. Il lui faut d'abord le devenir. Dans ce dessein, la sécrétion d'AMH puis de testostérone doivent jouer dès la cinquième semaine de grossesse leur rôle masculinisant pour que le X originaire devienne peu à peu un Y génétique. Par la suite, le bébé mâle ne peut pas rester un bébé passif fondu dans le principe femelle de sa mère. Il lui faut encore se différencier d'elle pour devenir un homme. Enfin, pour parfaire sa réalité masculine, il lui reste à épouser le principe mâle sans se fondre formellement en lui: c'est l'écueil homosexuel. L'homme porte donc sa masculinité au terme de cette triple opération de différenciation[5]. L'homme doit naître à l'homme.

Un proverbe ancien qui affirme que «tout choix implique un renoncement» exprime toute la difficulté de l'homme à être un homme. Il est d'abord en effet le produit d'un triple choix, ou, pour être plus précis, d'une triple renonciation. D'abord, dès la conception le fœtus renonce au sexe féminin. Ensuite, le petit enfant amoureux de sa mère[6] ne peut se confondre en elle pour épouser ses attitudes et devenir un double conscient. Il lui faut s'opposer au corps féminin, en affirmant son identité masculine. Enfin, cette opposition n'est réelle et définitive que si l'enfant parvient à devenir un homme comparable au père dont il devient, à un moment clé, le rival. C'est le stade de l'œdipe. Le désir de l'homme sera brut, instinctif, car dès le départ, c'est dans l'opposition qu'il a fondé son identité. C'est ainsi que le *principe mâle aide à fonder l'homme social.*

Bien ancrées, nos croyances d'Occidentaux nous amènent à croire que les êtres humains doivent se conduire comme «le bon sens génétique» le leur prescrit. Ne pas avoir compris comment fonctionne le principe mâle empêche l'être humain masculin, homme social, de se conduire comme un homme viril qui maîtrise ses sentiments et assoit son identité grâce à sa sexualité.

L'homme: du mâle à l'homme social

L'homme est un homme s'il est viril et ne pas être un homme, c'est n'être pas viril. Ce mot nous vient du latin *virillis*, de *vir* qui signifie homme. De son côté, la virilité est définie en regard de la capacité de l'homme à engendrer. Il faut donc que l'homme acquière les caractéristiques physiques propres à l'engendrement ; et pour qu'il puisse engendrer, son sexe doit être érectile.

Socialement, la virilité impose quelques caractéristiques au désir masculin lorsqu'il met en œuvre sa masculinité[7]. D'abord, le corps doit être dur. Et lorsque nous disons que le corps doit être dur, c'est encore une généralité. En fait, c'est au pénis qu'est dévolue toute l'affirmation de la masculinité. Le pénis ne doit pas faillir, pas se ramollir, pas oser montrer qu'il puisse être faible parce qu'alors toute virilité est perdue et la masculinité déchue[8]. Par voie d'imprégnation psychologique, si le sexe de l'homme est dur, l'homme doit l'être également sur le plan de sa personnalité. La virilité est donc apprise au petit homme[9] pour l'amener à parvenir à être un homme, ce qui consiste, pour aller vite, à cacher ses sentiments, à ne pas « chialer comme une fille », à ne pas se livrer trop abruptement à sa sensibilité, à conserver toute sa lucidité et son contrôle. L'homme viril ne se laisse pas aller et il en est fier. Il est également fier de ne pas se montrer tel qu'il est, car s'il le faisait, il se mettrait en situation d'avouer ses faiblesses, donc de déchoir. En amour, il ne doit pas faiblir et socialement, il ne doit pas être faible. Dans ces conditions, tout l'univers que se construit l'homme prescrit la dureté.

L'homme seul ne peut être réellement accompli, simplement parce que par trois fois depuis sa naissance, il a renoncé à une voie sexuelle et sociale possible. Trois fois, il a montré qu'il n'était qu'une partie d'une totalité. La femme, dans ce domaine, n'est pas plus accomplie psychologiquement, puisque être femme, c'est d'abord se donner, d'abord renoncer à soi-même.

La femme naît du don d'elle-même

Au cœur du principe femelle, il y a le don. C'est d'une énergie offerte que l'enfant naît. En toute simplicité, la femme «donne» le jour. L'enfant a puisé en elle toutes les ressources nécessaires pour venir au monde. Et quand il est né, c'est instinctivement que la femme lui «donne» le sein. En agissant ainsi, elle lui donne son amour et elle le fait visiblement au vu et au su de tous en proposant son sein afin que le bébé s'en repaisse. Ce sein habituellement caché peut être montré au moment de la tétée sans que cette attitude soit considérée socialement comme impudique.

La mère donne son lait et transmet ainsi son énergie à l'enfant. Mais elle donne aussi autre chose puisqu'elle rend lisibles ses sentiments à un point tel qu'ils permettent de comprendre qui elle est. Elle n'en a pas honte. Si les pleurs de l'homme semblent souvent impudiques parce qu'ils ne correspondent pas aux exigences de la virilité, il n'en est pas de même pour ceux de la femme. Cette dernière semble plus faible et démunie que l'homme parce qu'elle laisse lire en elle, sans se cacher. Le don physique et psychologique qui la caractérise est d'ailleurs programmé sur son corps dans le mouvement sexuel féminin de l'ouverture: physiquement, le sexe de la femme «s'ouvre» à l'homme, alors que celui de l'homme se «durcit» face à la femme. La femme se donne à l'homme.

La femme donne la vie et laisse ses sentiments s'exprimer librement. Cela est si fortement ancré dans les inconscients humains que lorsque deux bébés pleurent, nous dirons de la fille qu'elle est triste et du petit garçon qu'il est en colère[10]. Il n'est pas admissible qu'un petit bébé garçon se laisse aller à la tristesse alors que ce sera «normal» chez une petite fille. Si un petit garçon pleure, c'est donc automatiquement qu'il est en colère et que ses pleurs sont liés à la nature de la situation. Ça ne peut en aucun cas être un simple « laisser-aller » émotionnel. De la même manière, les mères souriront davantage à leur fille qu'à leur fils[11]. Elles éveilleront ainsi très inconsciemment chez la jeune fille l'expression des émotions, davantage que chez leurs garçons[12]. La richesse de l'expression émotionnelle des mères vis-à-vis de leurs filles influera de manière certaine sur les expressions émotionnelles de ces enfants lorsqu'elles seront devenues des femmes.

L'entourage projette ses références émotionnelles sur le sexe de l'enfant et le conditionne également, bien inconsciemment, à se comporter comme un petit garçon ou une petite fille, à vivre certaines émotions plutôt que d'autres, certains états plutôt que d'autres. Au cœur du principe femelle, la femme est donc conditionnée dès sa naissance à une conduite programmée. Cette conduite se manifestera tout au long de sa vie par une attitude d'ouverture émotionnelle face à la vie, face à l'homme, face aux autres.

La disponibilité féminine au mâle

Les femmes ont une prédisposition à l'empathie. Cette qualité permet non seulement de trouver l'autre agréable, mais également de percevoir clairement son état émotionnel. L'empathie permet ainsi de se placer, inconsciemment ou non, dans le même état émotionnel que l'autre et d'éprouver ce qu'il ressent[13]. Or, les femmes sont capables de percevoir l'état émotionnel d'autrui et de se fondre dans cet état émotionnel jusqu'à l'éprouver elles-mêmes. Cette disposition, testée dans de nombreuses études, représente un intérêt certain pour la survie de l'espèce humaine. La femme est en effet responsable du bébé qu'elle a mis au monde et qu'elle allaite. Elle l'a porté et elle assume la responsabilité de ses premiers mois de vie. Comme ce bébé ne peut pas exprimer son mal-être en le verbalisant, la mère doit donc lire ses signes physiques de détresse. Pour réussir cela, elle ne dispose que de son sens de l'observation et de cette capacité empathique lui permettant de ressentir les inconforts du bébé au même titre que si elle les éprouvait elle-même. Ainsi, cette empathie qui permet d'assurer et de sauver des vies est une des principales composantes du principe femelle.

Par ailleurs, toujours en vertu du principe femelle, la femme doit répondre à un impératif moral qui l'amène à se tourner obligatoirement vers l'homme pour rencontrer le principe mâle. Cette loi est si profondément inscrite dans son cerveau par le milieu psychologique que la femme devient pratiquement incapable de décoder les messages d'amour qui pourraient lui venir d'autres femmes[14]. Les hommes et les femmes se plient ainsi à la loi inscrite dans leurs principes respectifs pour aller exclusivement d'un sexe vers l'autre. L'un en face de l'autre, ils ne sont donc plus seulement incités à la rencontre: il serait plus juste de dire qu'ils sont programmés pour un grand télescopage.

Alors que la génétique exprime des différences biologiques, par un tour de passe-passe, ces différences se sont transmuées en différences psychologiques. Toutes les conditions d'un mythe entendu comme une construction de l'esprit sont alors réunies et fondées: « Le principe femelle et le principe mâle doivent absolument se rencontrer pour que l'être humain soit accompli. »

Le deuxième mythe fondateur du Syndrome d'amour :
La femelle et le mâle doivent absolument
se rencontrer pour que l'être humain
soit psychologiquement accompli.

L'homme et la femme se rencontrent pour que la palette des émotions qu'ils connaissent soit complète et, par voie de conséquence, qu'ils soient eux plus accomplis. Comme ils éprouvent des émotions différentes liées à leur sexe, ne pas rencontrer l'autre sexe les amènerait à rester fermés à la gamme d'émotions de cet autre sexe et, par conséquent, les empêcherait de se réaliser pleinement psychologiquement.

Le mythe de la différence psychologique née de la différence biologique imprègne ainsi profondément le tissu social. Il renforce le besoin de rencontre pour la rencontre et nourrit le Syndrome d'amour.

Les êtres humains sont donc doublement conditionnés. D'abord, ils sont conditionnés à *chercher l'autre partie d'eux-mêmes,* ensuite, ils sont conditionnés à penser qu'il n'y a pas de salut possible tant que chaque être humain n'a pas absolument *rencontré le sexe complémentaire au sien,* une rencontre qui lui permette de s'accomplir psychologiquement.

Vous avez certainement remarqué et déjà entendu cette sempiternelle phrase prodiguée à l'occasion par un parent ou un ami : « Tu verras, un jour tu rencontreras l'homme de ta vie. » Ou encore : « Tu ne vas pas tarder à rencontrer la femme de ta vie. » Mais hormis dans les instances closes de divers séminaires axés sur le développement personnel, personne ne nous dit jamais : « Tu verras, *un jour tu te rencontreras toi-même.* » Pourtant, n'est-ce pas par là qu'il faudrait commencer ?

Mais si la possession recherchée de l'autre prend bel et bien une forme sociale sexuelle et psychologique, le désir de possession qui porte les hommes et les femmes à se rencontrer prend encore une autre forme, celle de la possession morale.

L'homme et la femme accomplissent ensemble le travail d'appropriation l'un par l'autre en devenant propriété morale l'un de l'autre. Possession sociale, sexuelle, psychologique et morale s'interpénètrent alors. Ces quatre expressions différentes de la propriété amoureuse préparent l'homme et la femme à vivre l'un et l'autre les manifestations d'un Syndrome d'amour rayonnant.

Chapitre 8

DE LA NÉCESSITÉ MORALE DE LA POSSESSION AMOUREUSE

Le Syndrome d'amour amène les hommes et les femmes en couple à s'agréger et à se surprotéger les uns les autres. Mais si la possession amoureuse est inscrite dans ce qu'il est convenu d'appeler la nuit des temps, les pratiques et coutumes religieuses ou laïques en place dans le monde occidental ont encore renforcé la mentalité de cloisonnement du couple. En d'autres termes, l'asphyxie programmée de deux êtres l'un par l'autre est sans doute plus ancrée que notre conscience peut le percevoir.

En ce début de XXIe siècle, des mentalités issues de la fin du Moyen âge côtoient des mentalités beaucoup plus modernes. Et c'est à la morale qu'est dévolue la fonction de lien entre elles des mentalités différentes. Car si elle prend ses racines dans un autre temps, elle imprègne aujourd'hui encore de manière inconsciente tous les comportements amoureux.

Deux coutumes, vieilles de moins de 300 ans, permettent de mieux comprendre à travers elles à quel point en l'espace d'à peine trois siècles, nous sommes passés d'un monde à un autre.

Et nous pourrons alors prendre mieux la mesure du chemin parcouru dans le domaine du rapport amoureux en finalement bien peu de temps.

Ces deux coutumes étaient pour l'une catholique et pour l'autre protestante.

L'AZOUADE OU LE RÔLE DU VOISIN DANS LE COUPLE

La coutume dont nous allons parler maintenant était en vigueur chez les grands-pères et grands-mères de nos grands-parents, lorsque eux-mêmes étaient encore enfants. En termes de temps et de progression des mentalités, c'est très peu. En revanche, en termes d'évolution des mœurs, c'est énorme. À la lueur de cette première coutume, demandons-nous donc quel genre de lien nous pourrons bien tisser en couple tant que de telles coutumes vivront dans nos inconscients.

Cette coutume est appelée l'azouade. Elle rayonnait dans les campagnes françaises et fait partie d'une famille de coutumes similaires jalonnant l'histoire du Sud européen, très pieux et très croyant[1].

Au XVIIe siècle, dans le sud de l'Europe, l'emprise du voisinage est telle sur le groupe qu'elle empêche non seulement toute intimité mais qu'elle permet de contrôler strictement l'engagement des membres du couple, l'un vis-à-vis de l'autre. L'azouade, une coutume très en vogue à l'époque, contraint le voisin mâle de chaque famille de veiller à ce que sa voisine soit toujours fidèle et ne vive pas de rapports physiques extra-conjugaux. Cette obligation de contrôle est extrêmement codifiée et il s'agit là d'une mission de service public, rien de moins. Ainsi, selon cette coutume, si une femme « trompe » son mari, ce dernier doit alors être dénoncé par le voisin, puis promené à travers la ville sur le dos d'un âne. C'est là sa punition pour n'avoir pas su garder sa femme, pas su la satisfaire et surtout pas su contrôler ses faits et gestes, comme il appartient à chaque époux de faire. Mais pour l'entourage et plus particulièrement encore pour le voisin immédiat, il s'agit de ne manquer ni de vigilance ni d'à-propos. En effet, si le voisin ferme les yeux sur la tromperie et ne la dénonce pas, ou encore si le mari a le temps de s'enfuir, c'est lui qui est alors exhibé dans la charrette en place publique pour n'avoir pas contribué à faire régner l'ordre[2]!

Une telle coutume exprime toute l'importance du voisinage immédiat. Les voisins sont omniprésents dès lors qu'il s'agit de faire respecter et appliquer les normes de la vie conjugale et de ce que nous appelons aujourd'hui la «vie privée». Et au-delà du simple voisinage, la collectivité présente pour huer le mari «trompé», le «cocu», a bel et bien son mot à dire en matière de fidélité du couple.

LE DIZENIER OU LE RÔLE DE L'INSPECTEUR DU COUPLE

Si cette coutume de l'azouade s'applique dans les campagnes du sud de l'Europe, le nord de l'Europe, riche de ses traditions calvinistes, n'est pas en reste. En effet, à la même époque, une autre coutume religieuse est instituée dans les pays calvinistes. Dans un de ses écrits, Voltaire (1694-1778) évoque une pratique curieuse décrite à Genève. Connue sous le nom de coutume du dizenier, elle a aussi son représentant clairement identifié, son contrôleur social. Celui-ci a eu pour mission de rédiger des rapports administratifs qui font aujourd'hui encore les délices des historiens.

Ce brave homme, dizenier de son état, est armé d'outils redoutables, soit les clés des portes des 10 maisons de son voisinage immédiat. Jusqu'à l'aube du XIXe siècle, la mission du dizenier lui permet de pénétrer, de jour comme de nuit, sans crier gare dans les habitations dont il détient les clés. Il a notamment pour mission de voir si les coutumes religieuses calvinistes sont justement et strictement respectées. Il peut donc à sa guise ouvrir les placards et bien noter que les occupants de la maison n'y ont pas dissimulé de pots de confitures ou simplement des sucreries puisqu'elles sont interdites ! Il peut aussi inspecter les robes des femmes pour attester qu'elles ne portent pas de broderies trop ostentatoires ou simplement des broderies dorées. Enfin, suprême privilège, il est de son devoir d'aller jusqu'à la couche des époux pour bien vérifier qu'aucun intrus ne s'y est arrêté par mégarde. Des rapports circonstanciés destinés aux autorités représentatives compétentes ponctuent chacune de ses visites.

Ces deux exemples de coutumes, et nous pourrions en citer des dizaines, tirés des gazettes juridiques de l'époque, nous permettent de mieux comprendre ce qu'a pu être jusqu'à il y a très peu de temps encore, par le biais du voisinage, l'impact du groupe social sur la vie amoureuse et sur l'intimité du couple.

Comment voulez-vous, dans ces conditions, que les hommes et les femmes d'aujourd'hui puissent se regarder simplement ? Comment peuvent-ils se regarder librement et comment pouvons-nous concevoir que les hommes et les femmes puissent être exempts de désirs de contrôle, alors que la femme semble avoir été programmée pour être sous le contrôle de l'homme et l'homme conditionné à être le surprotecteur du couple ? Depuis des dizaines de siècles, pour que la morale ancestrale soit sauve, il est décrété que la femme est faite pour un seul homme et l'homme pour une seule femme. Et depuis des dizaines de siècles, c'est au groupe social de bien contrôler que les choses se passent ainsi.

La coutume de l'azouade et l'institution du dizenier ne sont pas que des anecdotes. Elles sont aussi des repères indispensables pour comprendre combien la chape de plomb des traditions religieuses et sociales rend difficile la rencontre libre et sans préjugés de l'homme et de la femme. Jusqu'à tout récemment, le couple a d'abord vécu un rapport social excluant presque totalement l'intimité amoureuse. À tel point que dans un sondage réalisé en 1946, seulement 1% des femmes et 5% des hommes considéraient que l'amour est la chose la plus importante dans la vie. Pour 47% des hommes et 38% des femmes, la valeur la plus importante était alors l'argent. La réussite sociale est au cœur du couple[3]. Le rapport au groupe est beaucoup plus important que le rapport intime, le voisinage beaucoup plus important que l'être aimé.

D'autres enquêtes réalisées à la même période dévoilent que 29% seulement des femmes disent avoir connu un grand amour dans leur vie. Ces chiffres, témoins de la réalité française, se retrouvent également dans tous les pays où les mêmes traditions religieuses ont cours[4].

La liberté amoureuse qui permet à l'autre de vivre à côté de soi sans subir de pression de son conjoint ou de sa compagne ne va pas de soi. La pression du groupe a été trop forte pendant trop longtemps pour n'avoir pas laissé de séquelles importantes dans les mentalités.

Voyons maintenant comment, au XIXe siècle, le groupe a exclu les hommes et les femmes qui malgré la pression ont décidé d'avoir une vie amoureuse et sexuelle vraiment libre.

LA NYMPHOMANE ET LE SATYRIASIS OU LA DIFFÉRENCE AMOUREUSE AU DÉBUT DU XXe SIÈCLE

Au début du XXe siècle, les hommes et les femmes aux mœurs libres et légères sont encore systématiquement considérés comme des êtres malades, des hommes et des femmes nuisibles qu'il faut écarter et soigner.

En France, dans les coins retirés des campagnes, c'est-à-dire environ 80 % du territoire français, l'ouvrage *Le nouveau médecin des familles, Description raisonnée des maladies avec les moyens de les guérir*[5] permet de remplacer le médecin chaque fois que c'est possible. Répandu dans tous les foyers, cet ouvrage a eu sans aucun doute un impact très fort sur la mentalité des grands-parents des hommes et des femmes qui ont aujourd'hui environ 40 ans. Une étrange maladie y est décrite. Une étrange maladie dont les symptômes se traduisent chez la femme par son désir d'aimer les hommes, de les aimer davantage, de les aimer inconsidérément. C'est une attitude que le quidam sûr de son fait appellerait aujourd'hui très trivialement une *femme chaude* et le dictionnaire spécialiste, une *nymphomane*. Le comportement de cette nymphomane est d'ailleurs suffisamment impressionnant pour mériter d'être ici décrit:

> *Nymphomanie:...La malade au mépris de toutes les considérations de position et d'éducation se rue sur les hommes, les femmes et même les animaux pour assouvir n'importe comment la passion qui la dévore.*

Mais la guérison de la nymphomanie est toutefois possible. La posologie est simple:

Envoyer les malades à la campagne, leur faire prendre des bains froids et si possible, se livrer à un travail manuel, jardinage, etc[6].

Dans le même ouvrage, l'homme n'est d'ailleurs guère mieux loti. Voyons comment notre *chaud lapin* des villes et des campagnes était regardé et traité, il y a à peine une centaine d'années lorsque le manuel médical le décrivait comme dévoré par une pulsion étrange, le *satyriasis*.

Il y a congestion de la tête, soif vive; et puis il y a paroxysme pendant lequel l'homme se jette sur la femme comme une bête et répète le coït, presque continuellement, 20, 30, 40 fois. Enfin surviennent des hallucinations, des convulsions; le pénis toujours en érection tombe et l'homme meurt[7].

Le Larousse «Je sème à tout vent» du début du XXe siècle ignore tout bonnement la nymphomane et le satyre. Nous présumons que ces maladies devaient être tellement graves et sérieuses qu'il valait sans doute mieux les taire. Dans un autre Larousse plus récent, datant de 1968 et qui a entre-temps cessé de «semer à tout vent», la nymphomanie est encore définie comme une «exagération des besoins sexuels de la femme ou de la femelle (surtout vache et jument)».

Mais comme, en France, depuis 1968, la femme de la rue a acquis le droit d'avoir un carnet de chèques et d'ouvrir un compte en banque sans l'autorisation et la signature de son époux, il n'y a plus a priori de raisons pour qu'elle soit traitée comme une vache ou une jument. Effectivement, dans le Larousse, il est possible de lire la définition que l'on trouve encore aujourd'hui: «Exagération des besoins sexuels chez la femme.» (Larousse, 1992)

Ah! si ce n'est plus que ça!

L'homme victime du satyriasis est plutôt mieux traité: «État permanent d'excitation sexuelle chez l'homme.» (Larousse, 1992)

Chez la femme, l'état d'excitation est «exagéré» alors que chez l'homme, il est «permanent», mais pas exagéré. Il est vrai que certains spécialistes expliquent très sérieusement que l'homme aurait davantage de besoins physiologiques que la femme et que tout cela serait hormonal[8]. Dans ces conditions, une sexualité exacerbée chez la femme est considérée comme une maladie alors que chez l'homme, elle est conforme à la normalité biologique.

Notons encore que si la nymphomanie féminine est restée inscrite dans la langue française, via ses dictionnaires, le satyriasis, lui, est complètement tombé en désuétude.

Entendons-nous bien, la nymphomanie n'est pas l'amour et il ne s'agit pas ici, sous prétexte d'exposer un phénomène, d'effectuer son plaidoyer. Mais en même temps, la nymphomanie a bien à voir avec la composante sexuelle de l'amour. Or, la définition qui évoque une «exagération des besoins sexuels chez la femme» est perverse pour deux raisons.

1) D'abord, qu'est-ce qu'un besoin sexuel exagéré? Et donc qu'est-ce qu'un besoin sexuel normal? La définition fixe une norme de fréquence de la sexualité dans le rapport amoureux sans le dire explicitement. Il y a un moment où, dans l'amour, la sexualité devient exagérée.

2) Ensuite, la définition tend à accréditer le fait que la femme nymphomane et par conséquent dangereuse est celle qui aime faire l'amour *souvent*. En fait, cette définition est d'autant plus empreinte de mauvaise foi qu'elle n'exprime pas

ce qu'elle constate. En effet, qui sont les femmes traitées de nymphomanes? Il ne s'agit jamais en réalité des femmes qui font l'amour trop souvent, mais plutôt de celles qui sont accusées d'aimer faire l'amour avec des hommes *différents*!

La nymphomane ne vit pas un dérèglement sexuel, mais révèle, en le provoquant, un dérèglement social. En d'autres termes, le problème que pose la nymphomane au groupe social dans lequel elle évolue n'est pas sexuel. Il est le problème du groupe social.

D'ailleurs, réfléchissons bien sur le problème de la nymphomanie taxée de «maladie». Malgré tous ses désirs, la femme nymphomane ne fera jamais l'amour aussi souvent qu'une prostituée dont c'est le métier. La prostituée fait le commerce de ses charmes. Elle ne semble pas déséquilibrée et n'aura droit ni aux douches froides, ni aux cures thérapeutiques. Si la nymphomane est considérée comme une malade, c'est essentiellement parce qu'elle n'est pas contrôlable par le groupe social. À travers elle, le groupe des hommes fait bloc avec le groupe des femmes pour que le contrôle, la normalisation soit de nouveau possible. Et la seule façon de sortir de cette impasse consiste bien évidemment à écarter l'élément indésirable qui est alors étiqueté comme malade.

L'azouade, coutume catholique vécue dans le monde des campagnes du sud de l'Europe et le dizenier, coutume calviniste vécue dans les campagnes du Nord, permettaient tous deux de renforcer le groupe social de l'intérieur. Le groupe avait pour fonction d'exclure les hommes et les femmes qui refusaient cette logique du contrôle et qui tentaient de mettre en place des stratégies de bonheur orientées autour d'une liberté sexuelle individuelle. Les êtres refusant la logique du contrôle sont en réalité appréhendés comme des déviants et étiquetés comme malades.

Comme les définitions évoluent, il est probable que, les rapports humains et sociaux se transformant, la nymphomanie et le satyriasis disparaissent un jour totalement des dictionnaires. Mais pour le moment, l'homme et la femme, lorsqu'ils se promènent au bras l'un de l'autre, n'ont sans doute pas encore oublié l'importance de la vigilance. L'essieu de la charrette de l'azouade crisse encore dans l'inconscient collectif alors que l'image du cocu pleurnichant traverse la ville. L'homme et la femme paisibles frissonnent dans la rue. Ils se rapprochent l'un de l'autre, se déplacent latéralement pour se protéger de la nymphomane et du satyriasis qui pourrait sommeiller en l'autre. Ils éprouvent presque la crainte d'être encore montrés du doigt parce que leur partenaire serait infidèle.

Les mécanismes de contrôle et de surprotection sont profonds. Dans l'histoire des mentalités, plusieurs échelles de temps biologiques, psychologiques et sociologiques se sont synchronisées pour renforcer l'emprise du groupe social sur l'homme et la femme. La morale achève ce travail d'emprise sur la relation. Dans ces conditions, il était impossible qu'il ne subsiste pas, même dans leurs rapports les plus anodins et quotidiens, l'expression de ce qui s'est mis en place petit à petit depuis que les hommes et les femmes se sont regroupés dans les cavernes aux premiers temps de l'humanité.

Dans la rue, les conditionnements amoureux ont été désignés. C'était l'objet de notre première partie. Puis, dans une deuxième partie, nous avons proposé une tentative de compréhension des mécanismes qui prédisposent aux conditionnements amoureux. Dans une dernière partie, il s'agit maintenant de se demander comment échapper clairement à la chape de contrôle et de protection pour redevenir des êtres équilibrés désireux de s'aimer le plus simplement et le plus justement possible. Comment se comporter les uns avec les autres, maintenant que nous savons que se tenir à gauche, c'est chercher à contrôler l'autre si l'on est un homme et à affirmer son indépendance si l'on est une femme ? Maintenant que nous savons que se tenir à droite, c'est aussi reproduire le modèle traditionnel du couple si l'on est une femme et accepter de n'être pas celui qui guide lorsque l'on est un homme ? Mais surtout, maintenant que nous savons qu'en la matière, il y a peu de place pour le hasard, même dans la rue, comment faire pour protéger notre couple contre le Syndrome d'amour ? Bref, comment parvenir à être un couple équilibré, espérer devenir un couple harmonieux, et qui sait, voire peut-être un couple rare ?

TROISIÈME PARTIE

Des propositions concrètes : loin du Syndrome d'amour, la sagesse des couples rares

Il n'y a pas de raisons de penser que l'amour ait été vaincu par son syndrome. Au contraire, si ce syndrome est tellement visible et aussi aisément mis en relief, c'est parce que les êtres humains ont aujourd'hui les moyens de vivre l'amour autrement. Les hommes et les femmes ont en eux toutes les ressources nécessaires pour devenir des couples rares.

De nos jours, les hommes et les femmes acquièrent en effet petit à petit les moyens individuels et financiers d'assurer leur indépendance. Ils ne sont plus obligés à la solidarité amoureuse pour subsister. Cette possibilité nouvelle d'indépendance bouleverse les données de leur vie relationnelle. Mais c'est également la grande chance de l'amour moderne et c'est ce que nous allons essayer de comprendre dans le prochain chapitre (chapitre 3).

Nous verrons alors que le rapport de désir et de tendresse, désigné sous le nom générique d'« amour », comporte en réalité trois facettes qui ne sont pas réductibles les unes aux autres. Si les couples veulent réellement s'aimer et ne plus craindre de se perdre, il leur faut ensemble rencontrer ces trois facettes de l'amour (chapitre 10).

D'autant plus que l'homme et la femme disposent de tous les moyens de se comprendre, puisqu'ils possèdent en eux la part de l'autre sexe (chapitre 11).

Enfin, il ne tient qu'à eux de l'écouter s'ils veulent pouvoir ainsi s'ouvrir à l'être dont ils partagent l'intimité. Arrêtons-nous sur ces couples qui n'ont jamais développé de Syndrome d'amour. Ces couples qui, intuitivement, ont trouvé les codes les plus appropriés pour s'aimer. Ils représentent approximativement un couple sur sept. Ils sont pour nous «les couples rares» (chapitre 12).

Chapitre 9

ÊTRE LIBRE DANS L'AMOUR

Le Syndrome d'amour bouleverse l'homme et la femme et transforme leur métabolisme au point de modifier leur positionnement dans l'espace. Le Syndrome d'amour a pour conséquence d'étouffer le couple plutôt que de le libérer. Mais ce conditionnement ne date pas d'hier. Partie intégrante de l'histoire de l'amour, il est sans doute, comme nous l'avons vu, lié à l'histoire de la propriété et à la structuration des rapports humains. Les siècles ont préparé l'homme et la femme à vivre dans la crainte de se perdre. Alors ils se renferment l'un sur l'autre pour que l'autre ne s'échappe pas et ils dépensent une énergie importante à mettre en œuvre des mécanismes de contrôle.

La vie à deux est l'échappatoire naturel de la solitude. Mais le tribut au bonheur est si lourd à payer qu'il finit par empêcher le couple d'atteindre ce bonheur. Aujourd'hui, les êtres préfèrent plus souvent vivre seuls qu'être malheureux à deux. Ils sont davantage conscients qu'il y a un siècle des dangers de l'étouffement.

Mais il reste que face à l'amour, les hommes et les femmes bénéficient aujourd'hui d'une chance qui n'a jamais été offerte aux générations précédentes, et dont ils n'ont pas toujours ni forcément conscience.

L'AMOUR A BESOIN D'INTIMITÉ

Très souvent, la naissance de l'amour moderne est associée à l'apparition de l'amour courtois au XIIe siècle environ. Elle va de pair avec de beaux poèmes langoureux, le plus souvent odes à la gloire de la femme, écrits, récités et colportés par les troubadours de l'époque. Le XIIe siècle est donc identifié dans l'inconscient collectif comme le moment clé de l'avènement de l'amour, ce qui donne à la modernité amoureuse près de 10 siècles d'existence, et à la vie du couple moderne près de 1000 ans d'expérience. Riche de ce passé, l'amour inconditionnel et durable devrait donc apparaître pour le couple de l'ordre de l'évidence. Si l'amour éternel est si rarement rencontré, c'est donc qu'il est utopique de croire à l'amour. Et nous nous mettons donc de nouveau à raisonner sur le thème : « Les hommes et les femmes sont si différents ! »

Mais qui a connu l'amour courtois et peut se targuer de bénéficier dans ce domaine de l'expérience des générations précédentes ?

Apparu au XIIe siècle, l'amour courtois est une pratique réservée à quelques seigneurs très riches disposant de lieux privatifs destinés à lutiner, à rêver et à prendre le temps de n'être pas dérangés. Mais pour la presque totalité de la population de cette époque, la réalité est tout autre. Les couples vivent avec le reste de la famille dans des pièces communes et dans ces conditions, l'amour a plutôt à voir avec la reproduction qu'avec le sentiment amoureux. Les femmes, plus investies encore qu'aujourd'hui dans des tâches maternelles et familiales, doivent à tout prix consolider la cellule familiale, autrement dit faire des enfants pour fabriquer de la force de travail. Il n'est donc pas réellement question d'amour, mais davantage de procréation dans un climat propice à une très forte natalité et à une tout aussi forte mortalité, liée à une faible espérance de vie et à une forte malnutrition. Les amoureux potentiels d'alors travaillent six jours sur sept et plutôt 12 heures que huit par jour. Quelle place faire à l'amour courtois dans un tel climat ? Clairement aucune.

Pour se manifester, l'amour a besoin d'intimité. Alors peu à peu, dans les habitations, des chambres séparées apparaissent. Mais cela prend des siècles. Il y a moins de 100 ans, l'électricité ne s'est pas encore répandue dans les foyers occidentaux. La distribution différente de la lumière permet finalement d'éclairer des pièces séparées. Pour la première fois, l'amour entre un homme et une femme n'est plus soumis au regard social de toute la famille entassée dans une grande pièce autour de l'unique source de lumière et de chaleur.

Si l'amour courtois est bien né au XIIe siècle, permettant à deux êtres nantis de s'affirmer l'un face à l'autre pour s'aimer, l'expression libertaire qui implique que deux êtres se choisissent l'un l'autre, indépendamment de leur statut social, ne naît que beaucoup plus tard.

Dans les faits, l'amour moderne qui permet de s'engager par choix amoureux et d'admettre tout aussi facilement que l'on ne s'aime plus apparaît paradoxalement avec la possibilité de quitter l'autre. La véritable liberté amoureuse, c'est la liberté de partir. Elle est la seule garantie que lorsqu'on est là, au sein du couple, c'est par amour et uniquement par amour. Très paradoxalement, la liberté amoureuse apparaît donc sans doute avec la possibilité de divorcer par consentement mutuel. Et cette liberté apparaît au XXe siècle dans les jurisprudences des grandes démocraties occidentales. L'homme et la femme peuvent alors légalement se quitter, ils en ont juridiquement le droit. Ils ne sont plus forcés de s'aimer coûte que coûte. L'amour peut alors prendre tout son sens. Selon nous, il est impossible de parler réellement de liberté amoureuse avant cette période[1].

> *L'amour moderne naît d'un paradoxe*
>
> *L'amour moderne apparaît avec la possibilité légale de quitter l'autre.*
>
> *La véritable liberté amoureuse, c'est la liberté de partir. L'engagement amoureux prend alors tout son sens.*

Le fait que le divorce soit rendu possible permet paradoxalement à l'homme et à la femme de s'engager sereinement dans le couple, de n'être plus enchaînés solidairement à l'amour, de se poser les questions qui s'imposent et de ne plus tricher l'un avec l'autre. Avoir la possibilité de divorcer ne signifie pas que les êtres soient obligés d'en user, mais cette possibilité offerte leur permet d'aimer et d'être aimé sans que le mariage soumette le couple à son enchaînement programmé.

Du XIIe siècle au XXe siècle, le raccourci est saisissant. Mais il marque simplement toute la différence entre l'amour vécu par quelques grands seigneurs privilégiés et le quotidien des hommes et des femmes d'aujourd'hui. Dans le monde occidental, un changement fondamental vient donc à peine de s'opérer. Aujourd'hui, les êtres humains disposent de richesses plus abondantes que dans le passé, ils ne sont plus obligés de vivre des relations amoureuses fondées sur la solidarité à des fins de subsistance. Pour la première fois dans l'histoire de l'Occident, les êtres ont la possibilité de faire le choix ou non de la relation amoureuse.

Aujourd'hui, pour la première fois dans l'histoire de l'humanité :

1. *La solidarité amoureuse n'est plus une obligation matérielle.*
2. *Les êtres n'ont plus l'obligation morale d'assumer la relation amoureuse.*

Cette possibilité de libre choix procure des perspectives inespérées à l'être humain et offre à l'amour des horizons nouveaux.

ÉGOÏSME ET INDIVIDUALISME : LE GRAND MALENTENDU

De nos jours, l'individu s'est petit à petit substitué au groupe comme point central du système de vie. Selon certains spécialistes, le monde occidental est passé de l'ère du « holisme » à celle de « l'individualisme[2] ». Aujourd'hui, pour la première fois depuis la naissance de l'humanité, les hommes et les femmes n'ont plus pour mission officielle de renforcer le groupe social. Et lorsque nous parlons d'origine de l'humanité, ce n'est certainement pas une formule à l'emporte-pièce. Ce qui est en train de se produire ne s'est sans doute jamais produit. Les hommes et les femmes n'ont désormais plus besoin de se regrouper pour vivre. Ils ne sont plus obligés d'additionner leurs forces pour subsister. L'amour n'est donc plus, lui non plus, une obligation.

À l'origine, les êtres humains n'avaient pas d'autre choix pour survivre que de collaborer. Grâce à leurs multiples interactions, ils ont ainsi promu le cortex cérébral à de nouvelles fonctions. Il y a 80 000 ans, ils se faisaient face pour se regarder, pour essayer de mieux percevoir le désir et le plaisir de l'autre. En se faisant face, ils rendaient consciente leur collaboration à la jouissance de l'autre. Quatre-vingt mille ans plus tard, après quantité d'atermoiements, la collaboration amoureuse fait un autre pas significatif simplement parce qu'elle n'est plus obligatoire. Un être humain peut dire à un autre : « Rien ne manque à ma vie, tu ne vas pas m'aider à vivre mieux et tu ne vas pas améliorer mes conditions d'existence, car je vais devoir pour te rencontrer faire des concessions avec mon mode de vie. Pourtant, j'ai envie librement de venir vers toi et de t'aimer. »

Aujourd'hui, les hommes et les femmes ont acquis les moyens de vivre une liberté fondée sur la différence. Ils peuvent choisir librement de se rencontrer ou de ne pas se rencontrer et se quitter tout aussi librement. Il y a 80 000 ans, des êtres se donnaient la possibilité de se faire face physiquement. Quatre-vingt mille ans plus tard, ils ont acquis le droit moral de se détourner l'un de l'autre. C'est là une image, mais elle a du sens.

Le combat pour la conquête de la liberté amoureuse doit beaucoup à la femme, dont le statut social et professionnel a longtemps été négligé. Mais par effet *boomerang*, le combat des femmes pour leur émancipation a permis également à l'homme de s'émanciper du giron du couple. Il n'est plus aujourd'hui le chef inconditionnel de la famille[3]. Les hommes et les femmes peuvent donc se positionner l'un en face de l'autre comme des êtres libres et la pression sociale autour de la famille à bâtir absolument n'est plus autant à l'ordre du jour. D'ailleurs, nouveau signe des temps, les jeunes gens restent plus longtemps chez leurs parents et sont moins pressés de reproduire le modèle parental qu'ils ne l'étaient dans le passé. Le divorce et sa pratique généralisée nous permettent de comprendre qu'en amour, chacun a droit à plusieurs chances. Les progrès de la contraception permettent aux hommes et aux femmes de se rencontrer et de faire l'amour sans la pression de l'enfantement, de décider beaucoup plus simplement du rythme de leur relation. Pour la première fois dans l'histoire de l'humanité, les hommes et les femmes ont les moyens de se regarder et d'être ensemble de façon détendue.

Mais parce que leurs mentalités ne les ont pas préparés à cela, les hommes et les femmes sont angoissés par leur liberté et plus encore, et plus que jamais, par la liberté de l'autre. C'est là tout le paradoxe de notre ère. N'osant pas affirmer leur propre liberté, la plupart des hommes et des femmes vont reprocher à leur conjoint ou conjointe sa prise de distance. Ce mécanisme de projection amène à faire endosser à l'autre ses propres états. L'autre est alors traité d'égoïste, simplement parce qu'il ne comble pas les attentes de son conjoint ou de sa conjointe. L'être humain sait que l'autre est libre face à lui. Mais il n'est pas préparé à cela, alors plutôt que d'affirmer sa liberté et de s'ouvrir au monde avec l'autre, il s'affirme par la jalousie pour renfermer son ou sa partenaire sur lui.

Deux phénomènes sont ainsi confondus qui n'ont pourtant rien à voir l'un avec l'autre: égoïsme et individualisme[4]. Ce débat traverse l'amour et renforce sans doute l'expression de son Syndrome, cette «crainte irraisonnée de perdre l'autre».

L'individualisme[5] est fondé autour du droit à la différence[6]. Il privilégie le droit de l'individu par rapport à celui du groupe. L'égoïsme exprime, lui, la tendance naturelle d'un individu à se préoccuper de son seul plaisir. En apparence, entre les deux notions, il ne semble donc pas y avoir une grande différence.

Simplement, là où l'égoïste envisage son intérêt au sens strict et ne se soucie jamais des autres, l'individualiste sait au contraire que la chaleur des autres est nécessaire à son bonheur. Pour l'être individualiste, l'engagement amoureux prend donc vraiment tout son sens. Il est un choix individualiste, un choix[7] qu'il fait en toute conscience et librement. Il n'est jamais une obligation.

Contrairement à l'égoïste, exclusivement tourné sur lui-même, l'individualiste sait que les autres peuvent également être individualistes, que c'est aussi leur droit. Il a donc toutes les chances de vivre en bonne harmonie avec son entourage.

Dans ces conditions, pourquoi l'individualisme est-il si mal considéré ? Simplement parce que les mentalités des hommes et des femmes n'ont pas été préparées à la liberté de choix. Les garde-fous traditionnels sautent les uns après les autres à cause de la liberté possible (contraception, interruption volontaire de grossesse, droit au divorce, reconnaissance de l'union libre) et certains êtres sont désemparés. Les couples et les familles ne sont plus des mécanismes automatiques. Ils demandent un engagement, et cet engagement peut même être résilié à tout moment.

Il met en scène et oppose les mentalités nourries par la conformité aux normes traditionnelles (que nous appellerons *éthique traditionnelle*) aux mentalités qui défendent la liberté rationnelle (que nous appellerons *éthique individuelle*), laissant certains couples mal préparés, désemparés. Là où, pour quelques couples rares, le XXIe siècle naissant offre à ce titre des ressources jamais rencontrées encore.

Un exemple des plus concrets emprunté à la vie quotidienne, plus exactement en ce qui a trait à nos habitudes alimentaires, devrait nous aider à mieux appréhender le choc des deux mentalités. Nous allons partir d'un exemple trivial pour mieux comprendre combien le choc des mentalités peut avoir des implications jusque dans nos vies quotidiennes. Nous verrons ensuite comment le choc des mentalités se traduit lorsque nous envisageons l'engagement amoureux.

Vous arrivez au milieu d'un plat et vous n'avez plus faim. Un morceau de votre pain se trouve sur la table. Faut-il le manger ?

L'éthique traditionnelle propose de dire oui !

Elle sous-entend qu'il est mal de laisser traîner quelque chose sur la table alors qu'ailleurs, dans d'autres coins du monde, des gens meurent de faim.

L'éthique individualiste propose de dire non !

Ça n'a pas de sens de continuer à manger lorsque l'on n'a plus faim.

Et effectivement, ça n'a pas de sens. Mais alors que la première réponse semble aller de soi, l'être humain qui choisit la seconde option va devoir étayer sérieusement son propos et ses arguments de manière à ne pas passer pour un égoïste.

L'éthique traditionnelle invoque un principe supérieur à l'être humain. « C'est mal de ne pas finir ce qu'on mange » (principe de respect) ou encore « Il ne faut pas gaspiller » (principe d'économie) ou bien encore « Terminer sa nourriture n'est qu'une question de volonté » (principe de rigueur morale). Pour sa part, *l'éthique individualiste* soumet l'homme à sa seule responsabilité. Celui-ci fait le choix de ne pas se forcer à manger. Il est responsable de ses actes. Il sait que la prochaine fois, il peut opter pour un comportement différent, par exemple en coupant moins de pain.

Ce qu'il importe de retenir de cet exemple, c'est l'existence, d'une part, d'un principe éthique de valeur supérieure, d'autre part, du seul principe de responsabilité individuelle.

Maintenant, transposons tout cela dans le domaine amoureux. Vous êtes mal à l'aise dans votre relation amoureuse. Que faites-vous?

L'éthique traditionnelle vous propose de dire:
Je me suis engagé il y a longtemps, et cette question n'a pas à se poser dans ces termes.

L'éthique individualiste vous propose de dire:
Cette relation s'est vidée de son sens et je vais en sortir.

Il y a encore 100 ans, les paroles reflétant l'éthique individualiste étaient considérées comme des paroles blasphématoires. Les couples d'alors étaient mariés devant les hommes et devant Dieu pour la durée de leur vie terrestre. Aujourd'hui, les hommes et les femmes sont face à leur liberté. Ils ne sont pas toujours mariés, mais leurs couples ne sont pas illégitimes pour autant. Ils sont libres, ils le savent et peuvent se quitter aussi simplement qu'ils se sont rencontrés. Ils ont les moyens économiques d'assumer leur liberté et peuvent «techniquement» se séparer sans difficulté. En revanche, leurs mentalités ne les ont pas toujours préparés à vivre cette liberté. Et comme ils ne sont pas préparés à faire face aux contraintes d'une liberté qui est également la liberté pour l'autre, ils ressentent alors une très forte angoisse, craignant de voir s'en aller l'homme ou la femme qui les accompagne. C'est pourquoi le Syndrome d'amour défini par «la crainte irraisonnée de perdre l'autre» est plus présent qu'il ne l'a jamais été.

Les grands textes juridiques autorisent désormais la liberté amoureuse et permettent aux couples de se séparer légalement. Ces textes interviennent au moment où des conditions économiques plus favorables rendent possibles des choix de vie solitaires. L'élévation du niveau de confort associé à un meilleur niveau d'éducation permet aux hommes et aux femmes de se projeter dans le futur avec davantage de sérénité. Ils peuvent prendre le temps de se découvrir. Ils en ont le droit. Ils ont également celui de se quitter.

Concrètement, les conditions de la liberté amoureuse sont de plus en plus souvent réunies. Les hommes et les femmes mettent réellement à profit cette liberté amoureuse pour prendre le temps de se rencontrer. Une fois encore, prenons un exemple.

À la frontière de la Suisse et de la France, la ville de Genève est une ville cosmopolite à très fort potentiel économique. Selon les indices que l'on emploie pour définir la richesse, cette ville est très souvent présentée comme la ville la plus riche du monde. Or, Genève est également, parmi toutes les plus grandes villes du monde, celle où, en proportion de son nombre d'habitants, vivent le plus de femmes seules. Concrètement, les Genevoises sont-elles différentes des autres femmes ? Rien ne permet de le dire ni même de le penser. Il n'y a pas de raison fondée de croire que les Genevoises soient plus égoïstes que les Parisiennes ou encore les Romaines, les Barcelonaises, les Londoniennes ou les Montréalaises. Comme toutes les femmes, les Genevoises veulent sans doute être heureuses avec des hommes qu'elles aimeront. Et c'est sans doute parce qu'elles croient à l'amour que, comme les femmes d'ici ou d'ailleurs, elles ne se précipiteront pas sur le premier quidam venu. Semblables à de plus en plus de femmes et d'hommes, les Genevoises ont aujourd'hui les moyens de leur liberté. Elles ne sont plus obligées de se regrouper dans des clans que l'on appelle familles ou couples pour subsister. Elles peuvent choisir de vivre seules et c'est donc également pour cette raison que lorsque ces femmes instruites et indépendantes financièrement (comme c'est le cas d'autres femmes et d'autres hommes ailleurs) décident de vivre en couple, cela prend vraiment tout son sens.

LA SOLITUDE EST LA CHANCE DE L'AMOUR MODERNE

Ainsi, la solitude vécue dans un climat d'évolution des niveaux de vie est sans doute la grande chance de l'amour moderne puisqu'elle s'accomplit dans sa plénitude. Les gens ne sont plus seuls par dépit ou par désespoir. L'amour devient un choix et pour faire ce choix dans de bonnes conditions, les êtres vont agir différemment que par le passé. Ils vont moins s'agglutiner au premier venu contre un peu de cette chaleur et de ce pain qu'ils appellent sécurité. S'ils se rencontrent, c'est pour donner un sens à ce qu'ils vivent. Et s'ils se quittent, c'est parce que le sens des choses a été perdu. De nos jours, les gens vivent donc sans doute plus souvent seuls[8]. C'est leur façon de ne pas se précipiter, de prendre leur temps et de chercher à rencontrer l'autre pour lui-même. Le Syndrome d'amour poussait les amoureux dans les bras l'un de l'autre pour qu'ils reproduisent à tout prix un modèle traditionnel de couple. Mais aujourd'hui, cette possibilité de choisir la solitude donne également la possibilité de choisir l'amour.

Ainsi, en regard de la modernité amoureuse, deux mentalités se côtoient, une mentalité traditionnelle et une autre plus moderne donc plus individualiste, mais également, et nous le verrons plus loin, sans doute plus humaniste.

Les êtres les plus traditionnels dans leur conception de l'existence ont tendance en effet à se renfermer sur l'être qui les accompagne dans la rue parce que fondamentalement, pour eux, un homme est fait pour une seule femme et une femme pour un seul homme. *Le principe a ici une valeur supé-*

rieure à ce qu'ils ressentent vraiment. Ces êtres sont attachés aux images de la tradition. Peut-on d'ailleurs les en blâmer puisque ces images ont sans doute 80 000 ans. Passé proche et passé lointain se télescopent avec une grande vigueur lorsqu'il s'agit de l'être humain. Ce type de couples se tient donc avec beaucoup de rectitude, monsieur à gauche et madame à droite.

Mais en face de ces êtres les plus traditionnels sur le plan de leur conception amoureuse, le couple impose une image nouvelle de lui-même. Certains hommes et certaines femmes entretiennent d'autres convictions, prennent davantage de recul, trouvent ou inventent d'autres stratégies pour tenter de s'aimer et d'être heureux en couple. Mais il n'est pas dit que ce soit pour autant moins compliqué pour eux, car le couple plus ouvert est lui aussi rattrapé de temps à autre par des réflexes ancestraux. Et c'est sans doute pour cela que le Syndrome d'amour est toujours aussi « rayonnant ». L'homme et la femme responsables savent qu'ils doivent changer parce que le monde change. Mais ils n'ont encore ni l'un ni l'autre toutes les clés nécessaires pour ouvrir les portes de ces changements.

Si le monde change, le couple d'aujourd'hui ne peut plus comprendre et vivre le rapport amoureux comme le comprenaient et le vivaient les couples du passé. Et si le rapport entre les êtres humains change, c'est la définition même de l'amour qui s'en trouve transformée.

Dans ce contexte, devant l'étouffement ou la surprotection amoureuse, il serait bon de se demander si, sous prétexte de vivre l'amour, l'homme et la femme n'ont pas réduit celui-ci à une de ses facettes, s'interdisant ensemble et sans le savoir la voie de l'amour inconditionnel.

Chapitre 10

RENCONTRER AVEC LE MÊME ÊTRE LES TROIS VISAGES DE L'AMOUR

Face à leur amour, les hommes et les femmes ensemble sont réellement placés pour la première fois devant leurs responsabilités. Le temps où les êtres humains s'aimaient par devoir et restaient ensemble «pour les enfants» semble être de plus en plus révolu. L'homme et la femme sont libres de se quitter au premier signe de faiblesse de leur désir. Ils demandent donc à l'amour davantage qu'ils ne lui ont jamais demandé. Ils exigent de lui qu'il soit un ciment, mais en même temps, ils n'attendent pas toujours que le ciment prenne. Ambivalents, ils ont des exigences et éprouvent parallèlement la crainte de se perdre. Contradictoires, ils sont revendicatifs et souffrent en même temps du Syndrome d'amour. Bref, ils craignent de perdre l'autre, mais ne sont jamais certains que ce qu'ils vivent avec lui est bien l'amour.

Une question simple hante les esprits de l'homme et de la femme, une question simple à laquelle ils voudraient bien trouver une réponse adaptée:

Qu'est-ce que l'amour?

Et donc, partant de là:
Comment faire pour bâtir une relation solide fondée autour de l'amour?

C'est à ces deux questions que nous allons tenter ici d'apporter des éléments de réponses.

LES TROIS FACETTES DE L'AMOUR

Jusqu'à maintenant, hommes et femmes pensaient qu'être attentionné suffisait pour rendre l'autre heureux. Mais ils découvrent que ça ne suffit pas toujours. L'homme éprouve les mêmes difficultés à ressembler à son père que la femme éprouve de difficultés à ressembler à sa mère. En matière de couple, leurs désirs sont définitivement différents des désirs des couples du passé.

Il va donc leur falloir comprendre que selon les situations rencontrées, l'amour prend trois noms différents, possède trois facettes distinctes et que les couples malheureux pensent avoir fait le tour de l'amour quand ils n'ont expérimenté qu'une seule de ses facettes.

C'est avec les Grecs anciens que l'image et la définition de l'amour ont commencé à se façonner avant d'acquérir avec le christianisme une dimension plus universelle. L'amour d'alors ne ressemblait pas tout à fait à ce qu'il est devenu aujourd'hui. Ainsi, du grec au latin, les anciens parlaient *d'Éros, d'Agapè et de Philia*, trois mots servant à décrire les trois versants de l'amour. Mais la structuration sociale de ces époques a empêché les couples de ces temps anciens de vivre ce que les hommes et les femmes du XXIe siècle peuvent tenter aujourd'hui: *rencontrer et vivre avec le même être les trois visages de l'amour.*

Nous l'avons vu, le Syndrome d'amour provient sans doute de la difficulté de l'homme et de la femme à continuer à être libres et détachés tout en restant engagés dans leur projet de couple. Leur couple n'est pas libérateur, mais les étouffe. Pour des êtres humains qui ont été éduqués à se retrancher derrière des principes, être libre et aimer l'autre sont des activités qui sont en effet difficilement conciliables. Il semble pourtant qu'intégrer l'individualité de l'autre dans le projet amoureux, lui permettre de rester un individu à part entière, différent de soi dans ce projet commun, est l'option alternative à la fin programmée du couple.

Si trois mots permettent de parler d'amour, c'est que l'amour existe selon trois facettes distinctes. Le projet du couple moderne va consister à préparer sa rencontre dans les trois états de l'amour en ne négligeant aucun d'entre eux. Parvenir à fusionner dans l'Éros sans s'étouffer, affirmer dans Philia son indépendance distincte de l'indifférence, et parvenir dans Agapè à s'ouvrir sur le monde sans se perdre peut devenir le principe d'un nouvel équilibre amoureux.

Les hommes et les femmes capables de rencontrer et de vivre ensemble ces trois visages distincts de l'amour peuvent espérer ensemble traverser le temps.

Le projet du couple moderne :
vivre ensemble les trois états de l'amour.

- Parvenir sans s'étouffer à fusionner dans l'Éros.
- Affirmer dans Philia une indépendance distincte de l'indifférence.
- S'ouvrir sur le monde grâce à Agapè sans se perdre.

Voyons quelles caractéristiques de l'amour se cachent plus exactement sous chacun de ses trois visages si mythiques et pourtant si modernes, et explorons en quoi ils sont si complémentaires et peuvent permettre au nouveau couple amoureux de traverser le temps.

Éros ou la part de l'amour passion

La part traditionnelle de l'amour, la part la plus prisée au début d'une relation est très souvent la part du corps. Les êtres pensent qu'ils vont s'aimer parce qu'ils s'attirent physiquement, « sexuellement », le mot est lâché. S'aimer, c'est d'abord éprouver le désir de se « faire l'amour », vivre avec l'autre la part de l'Éros, la part du corps, la part du sexe. Éros est la part de la fusion et de l'exaltation suprême.

Pour les Grecs anciens, Éros représente le dieu de l'amour. Il est considéré comme le plus jeune des dieux et prend les traits d'un enfant dont les flèches éveillent l'amour dans les cœurs. Par la suite, avec Platon[1], Éros est associé à la forme que prend l'amour physique. Avec Freud, il acquiert la force qu'on lui connaît aujourd'hui, et devient la pulsion de vie opposée à son autre face, la pulsion de mort : Thanatos.

Sous le règne d'Éros, les êtres humains se prennent et s'étreignent dans un mouvement fusionnel, au cœur duquel la vie et la mort se côtoient. Dans l'Éros, l'amour est évoqué comme « une petite mort », il est à la fois la part de vie donnée à l'autre et la part de vie prise à l'autre.

> *Dans l'Éros,*
> *deux êtres amoureux vivent*
> *la part du corps fusionnel.*

Éros est un dieu qui découvre l'amour avec Psyché, une femme superbe, mais mortelle. Le personnage d'Éros représente sans doute la part la moins altruiste de l'amour, celle qui ne se satisfait pas tant qu'elle n'a pas pris le corps de l'autre, ne s'est pas éreintée dans la conquête physique. Dans la mythologie grecque, Éros et Psyché ont une fille qui se prénomme Joie. C'est Freud qui donne ses lettres de noblesse à «l'éros» et à la «psyché». Lorsque l'on sait que dans la mythologie, Éros et Psyché ont une enfant, Joie, et que Freud en allemand signifie également Joie, nous pouvons dire qu'il y a là de bien beaux hasards.

Psyché est une mortelle, Éros un dieu, les amants s'aiment d'abord dans la nuit, sans se voir. C'est là la condition de leur amour. De la sorte, Psyché ne connaît pas le visage d'Éros. L'Éros représente donc la part la plus sauvage de l'amour, celle qui n'a pas de règles. Ses codes sont ceux du plaisir. Dans l'Éros, prendre et donner sont indissociables, comme lorsqu'on se «prend» et qu'on se «donne» la main. Il est la part de l'amour vécue dans la jouissance, sa part d'ambivalence, sa part la plus belle et la plus détestable aussi, car il est entendu que l'autre ne peut être heureux en dehors de soi. Il n'en a pas le droit.

L'Éros vécu pour lui-même, lorsqu'il se satisfait de la part sexuelle, s'en retourne comme il était venu, une fois le désir assouvi. En revanche, il suffit que les êtres veuillent investir l'amour sous une forme plus sociale pour qu'il se mette à rencontrer ses plus graves écueils: la jalousie, le besoin inassouvi. L'amour physique permet au couple de se rencontrer et d'exulter, de s'aimer, mais c'est aussi lui qui souvent étouffe le couple et le fait éclater, simplement parce qu'il dévore et inflige le manque. Dans ces conditions, penser que l'amour, c'est l'Éros, c'est sans doute passer à côté de l'amour et se condamner à se perdre, simplement parce que dans l'Éros, l'autre n'a pas d'individualité, et n'est jamais une personne à part entière. L'amour n'existe plus que sous la forme de la fusion. Il interdit que l'autre puisse être heureux sans soi.

Au temps où le mariage était avant tout un mariage de raison, tout était beaucoup plus simple. La part de la sexualité n'était sans doute pas flamboyante, mais elle n'avait pas à l'être de toute façon. Il en est bien autrement avec un amour construit autour de la fusion amoureuse, car il ne peut connaître de demi-mesures. Seule la jouissance physique sert à déterminer l'intensité de la relation aussi bien que sa durée. Mais il reste que les couples qui s'attirent et décident de pousser plus avant leurs relations parce qu'ils «s'entendent bien physiquement» ne peuvent espérer traverser le temps et durer, car il arrive toujours un moment où une relation construite autour de la quête du paroxysme se fane[2].

S'il est la composante centrale de la relation amoureuse, le triomphe de l'Éros ne présage pas forcément de la stabilité du couple, car la relation amoureuse va se bâtir en conformité avec des rythmes paroxystiques. Par conséquent, le couple sera toujours à la recherche du «plus», du «mieux», en fait du point d'exaltation maximal du rapport amoureux. Il est difficile de penser qu'un couple pour lequel l'exaltation suprême des sens représente le mode de relation normale puisse connaître vraiment l'équilibre dans son quotidien.

L'amour dévorant fait des ravages, c'est le moins qu'on puisse dire. Toute personne qui à un moment donné a eu le sentiment de «posséder» l'autre a souvent de la difficulté à penser que cet autre puisse vivre libre à côté d'elle, que cet autre puisse ne pas avoir un besoin «absolu», un besoin de tous les instants. Un couple fondé uniquement sur l'exaltation suprême est asphyxié par sa fusion et pour échapper à l'étouffement, se débat dans des crises violentes.

Fonder son couple sur l'Éros revient donc à faire une faute de jugement sur la nature même du rapport hommes-femmes. Dans le monde des rapports humains, «les mêmes causes ne produisent jamais les mêmes effets». Or, lorsque le rapport amoureux s'organise autour de la fusion, c'est précisément cette logique qui est niée. Dans le rapport fusionnel, les deux désirs doivent toujours être équivalents. C'est la condition même du don de soi. L'être prend ce qu'il donne et vit ainsi en totale symbiose, c'est en tous les cas sa revendication majeure. L'homme et la femme savent bien que ce rapport symbiotique n'est pas possible et pourtant ils en ont fait une règle, comme s'ils ne connaissaient pas les limites de cette situation.

Pour être plus explicite, choisissons un exemple qui n'a pas à voir avec le domaine amoureux et qui permet de comprendre que la fusion est un état d'être. Avez-vous déjà examiné le mécanisme de la bouderie et, de manière plus spécifique, la psychologie du boudeur ? Le boudeur boude lorsqu'on lui refuse quelque chose. Il sait bien que l'autre a une bonne raison de refuser ce qu'il vient de lui demander, alors il boude au lieu de se mettre en colère. En réalité, au plus profond de lui, il sait bien que son attitude de colère ne serait pas légitime. Mais en même temps, le boudeur ne supporte pas qu'on lui refuse quelque chose. Et s'il ne le supporte pas, c'est que la fois précédente, on ne lui a pas refusé cette chose ou une chose équivalente. Il réagit donc comme si « les mêmes causes produisaient toujours les mêmes effets ». Mais ce faisant, il oublie de respecter l'autre. Il oublie que l'autre n'est pas soi et que l'autre peut être dans un état d'esprit différent de la fois précédente, un état d'esprit différent du sien.

Vous pouvez noter encore que le boudeur boude toujours lorsqu'une personne proche de lui lui refuse quelque chose. Il ne boudera pas en présence d'une personne avec qui il a une relation plus lointaine, tout simplement parce qu'il n'attend rien d'elle. En revanche, il exige des proches avec lesquels il fusionne une qualité de contact irréprochable, à l'image de la qualité de contact qu'il estime lui-même (même si c'est à tort) leur accorder. Dans ces conditions, le rapport qui se tisse est un rapport fusionnel, un rapport né dans la lignée généalogique de l'Éros.

L'Éros possède donc plusieurs facettes. L'Éros est une manière de considérer la vie qui n'est pas limitée à la seule vie sexuelle. Vivre l'Éros avec l'homme ou la femme qui vous accompagne, c'est plutôt se mettre en situation d'organiser toute sa vie autour de mécanismes de fusion et d'exaltation suprême et ce, dans les plus petits détails. Dès que l'équilibre n'est plus bâti autour de l'exaltation totale, les êtres s'ennuient. Vivre l'Éros, c'est se mettre volontairement en situation de manque pour s'appartenir davantage.

L'Éros est bien cadré dans son horizon. L'autre n'est pas là et c'est le manque. L'autre est là, mais le rapport est trop équilibré pour être exalté et c'est l'ennui. L'Éros rend impossible la relation simplement parce qu'à trop vouloir la transcender à tout prix, il la rend impossible à vivre.

Entendons bien nos propos. Il ne s'agit pas de chercher à expurger l'exaltation ou la fusion du rapport amoureux, car il perdrait bien évidemment dès ce moment-là toute sa saveur. Il s'agit plutôt de considérer qu'il serait sans doute tout à fait fallacieux de penser que l'amour, c'est l'Éros. L'Éros n'est qu'une des facettes de l'amour qui doit s'équilibrer avec ses deux autres facettes.

Philia, l'amitié amoureuse ou le respect de l'autre

Aujourd'hui, alors que le culte du corps et de la performance est roi, il appartient au couple équilibré de transcender très vite l'amour physique avant que la relation n'ait atteint son point paroxystique. Sans cela, après le paroxysme, ils seront condamnés à connaître l'ennui ensemble, parce qu'ils n'auront pas élargi les horizons de leur relation. Un homme et une femme équilibrés doivent par ailleurs comprendre intuitivement que l'équilibre de l'autre se réalise nécessairement en dehors de soi ; et que c'est indispensable à l'épanouissement même de leur couple. Le couple qui découvre cette face du rapport amoureux s'ouvre à une vérité beaucoup plus profonde. Il s'ouvre sur Philia.

C'est le philosophe Aristote[3] qui s'est fait le chantre de cette part altruiste de l'amour tissée dans le respect de l'autre. Avec Philia, l'autre est devenu ami, l'autre est devenu celui ou celle dont on ne cherche pas à régenter le plaisir, simplement parce que vouloir contrôler la vie de l'ami n'a pas de sens. Vivre Philia, c'est laisser l'ami à côté de soi vivre le mouvement qui lui est propre et ne pas l'entraver. Vivre Philia, c'est décider de ne jamais plus décider pour l'autre et ne jamais interférer pour contraindre l'autre.

Attention, car avec Philia, il ne s'agit pas simplement de « faire confiance ». De nombreux couples pensent qu'ils sont de beaux couples parce qu'ils savent faire confiance. Mais s'ils font confiance, c'est parce qu'ils ne peuvent généralement guère faire autrement. Ce type de confiance n'est encore qu'Éros transposé dans la vie sociale. En revanche, l'homme et la femme qui ont transposé l'amour dans Philia entendu comme amour-respect font en sorte que chacun des deux êtres membres du couple lâche toute forme de contrôle ou toute protection de son partenaire. L'autre existe à côté de soi, sans soi et n'est pas dépositaire de la relation. Il ne suffit pas de dire à l'autre « Je te fais confiance », mais plus simplement de laisser aller l'autre. Ces deux êtres savent qu'ils s'aiment et ne se posent pas de questions sur ce qu'ils vivent l'un sans l'autre. Non pas parce que ce sera un code entre eux, mais simplement parce que chercher à disposer de la vie de l'autre n'a pas de sens.

Les couples qui vivent Philia dans leur relation savent que la liberté de l'autre est la condition d'épanouissement de la relation. Ils savent aussi que l'amour est fondateur et libérateur parce que les processus d'enfermement de la relation ont été expurgés du cœur du rapport même. Consciemment ou plus inconsciemment, ces êtres se sont mis à l'abri du Syndrome d'amour en se mettant à l'écart de l'écueil de la jalousie.

> *Avec Éros et Philia,*
> *chacun des deux êtres peut aimer profondément l'autre et devenir plus profondément libre dans son attachement à lui.*

Très peu de couples peuvent réussir à faire coexister au cœur de leur relation Éros et Philia, simplement parce que dans leurs formes absolues, Philia et Éros sont antagoniques. Respecter l'autre, en faire son ami, c'est lui permettre d'exister seul à côté de soi. Ce qui est impensable dans l'Éros qui ne comprend l'autre que comme une part du manque, et dans sa négation en tant qu'autre, conformément au principe de la fusion amoureuse.

Pour bien comprendre la césure qui se produit entre Éros et Philia, prenons l'exemple d'un moment heureux. Les amoureux qui vivent l'amour dans l'Éros ont bien du mal à admettre que l'autre ait pu vivre un moment pleinement heureux sans qu'il les ait conviés à ce moment heureux. Pour le tenant de l'Éros, c'est une situation intenable. Au contraire, les êtres qui vivent ensemble Philia sont heureux de retrouver l'autre personne épanouie et heureuse. Ils sont heureux du bonheur de l'autre sans se demander quelle part ils y ont prise et s'ils auraient dû y être associés ou non. L'autre est heureux et c'est bien ainsi. C'est le bonheur de l'autre qui, au moment de leurs retrouvailles, engendre leur bonheur à eux.

Toute la difficulté pour un couple de vivre Éros et Philia en même temps provient du fait que les échelles de temps des deux états sont difficilement intégrables dans un même ordre. Dans l'amour-passion, le temps de l'autre n'existe plus, pas plus que le sien d'ailleurs. Le temps est resserré dans la fusion. À l'inverse, le temps de l'amour-amitié est complètement distendu, car l'autre existe et vit indépendamment de son partenaire. Comment donc faire pour fusionner et abolir les différences dans l'Éros sans cesser de les reconnaître comme le préconise Philia ?

Accomplir son amour sans nier la liberté individuelle de chacun nécessite d'introduire un autre précepte. Agapè se situe sur un autre plan. Par conséquent, il ne peut être le lien entre ces deux temps. Mais il accomplit l'amour en ouvrant le couple sur le monde et sur les autres.

Agapè, l'amour universel qui ouvre sur le monde

Dans l'amour-passion, l'amour est exclusif. L'amour-amitié permet quant à lui de découvrir le respect partagé. Pourtant, le véritable lien humaniste qui ouvre le couple sur les autres n'est pas encore réellement créé tant que le couple ne s'est pas ouvert sur Agapè.

Éros et Philia vécus l'un et l'autre peuvent très bien permettre d'identifier des couples narcissiques. L'homme et la femme auront alors à cœur de montrer à leurs amis qu'ils sont une forme de couple idéal. Mais au fond d'eux-mêmes, ils n'auront pas oublié, eux, que leur amour n'est pas accompli parce qu'il ne sera pas vraiment tourné vers les autres. Leurs amis ne seront qu'un prétexte pour cacher une harmonie impossible.

À côté de l'élan du cœur projetant les êtres les uns contre les autres dans l'Éros et du respect qui leur enjoint de respecter avec Philia les silences de leur partenaire, il est une part du cœur libéré qui permet aux hommes et aux femmes de se rencontrer sur un autre plan de conscience et d'être vraiment ouverts sur le monde. C'est toute l'œuvre d'Agapè.

À l'origine, Agapè exprime la vision de l'amour chrétien. Agapè fait son apparition dans les Évangiles. Mais pour le couple, cette forme d'amour fondée sur la gratuité, le don de soi, peut permettre à deux êtres de découvrir la part du cœur ouvert sur le monde. Avec Agapè, il n'est plus question que les individus qui forment le couple se referment l'un sur l'autre. Au contraire, ils doivent prendre possession de l'amour de l'univers et s'ouvrir à sa dimension la plus universelle. En d'autres termes, chacun des deux êtres, riche de la plénitude et de la beauté de la relation, s'ouvre sur les autres et sur le monde.

L'être dont on dit «c'est quelqu'un d'ouvert» est en réalité ouvert au monde. Il est ouvert parce qu'il sait qu'il a à apprendre du monde, il a ouvert son cœur à cette générosité qui lui permet de se tourner vers les autres. L'être humain possède ainsi les clés lui permettant de ne plus jamais rencontrer le Syndrome d'amour.

Les êtres qui se sont rencontrés dans l'extase sensuelle de l'Éros, respectueux l'un de l'autre et capables de comprendre que l'autre n'était pas réductible à la fusion grâce à Philia, s'aiment véritablement en étant ouverts sur le monde avec Agapè.

Avec Éros et Philia et Agapè,
l'amour est vécu sous sa forme universelle.

Le lien fusionnel vécu par le couple
est renforcé par l'identité de chacun.
Il devient lien universel de paix.

Le couple capable d'explorer ensemble ces trois facettes de l'amour peut dire qu'il s'est donné les moyens de comprendre et de se comprendre. Cette prise de conscience l'aide à réaliser à quel point l'amour tel que nous le connaissons aujourd'hui est une forme réductrice de l'amour. Par ailleurs, la première découverte de ce couple-là, c'est que l'homme ne marche pas systématiquement à la gauche de la femme et la femme systématiquement à la droite de l'homme. Dans la même logique, ce couple découvre également que c'est la « systématicité » qui tue l'amour. Dès lors, l'amour et ses imprévus sont la base même d'un rapport réinventé par les soins du couple bien équilibré[4].

COMMENT FAIRE POUR BÂTIR UNE RELATION SOLIDE FONDÉE AUTOUR DE L'AMOUR ?

Dans l'absolu, le couple riche de ses trois valeurs fortifie son amour en lui donnant davantage de cohésion. Chacun doit être capable de vivre avec l'autre des moments intenses de fusion amoureuse (Éros), sans que la fusion amoureuse fasse oublier que l'autre n'est pas soi et qu'il possède des besoins différents des nôtres (Philia). Chacun doit comprendre enfin qu'un couple ne peut pas être vraiment harmonieux s'il ne s'ouvre pas sur le monde (Agapè). En théorie, tout cela est possible, mais, dans la réalité, il s'agit tout de même d'éviter deux écueils.

Le premier écueil du couple naît avec la rencontre

Le désir de l'autre provoque très souvent le besoin de fusion amoureuse. C'est généralement ainsi que le couple se fonde. Il arrive généralement, surtout dans les premiers temps de la relation, que la fusion amoureuse génère de l'harmonie. Le couple est alors persuadé que son amour sera plus fort que toutes les difficultés à venir. Et c'est justement parce que leur amour est harmonieux que l'homme et la femme n'estiment pas nécessaire, à ce moment précis de la relation, de mettre en place les codes de liberté de Philia et d'Agapè. Dans les premiers moments de la relation amoureuse, le respect de l'autre semble aller de soi. Chaque membre du couple amoureux est en effet tellement attentif à l'autre que la question du respect n'a même pas à être posée.

Mais le respect des besoins de son ou de sa partenaire constitue une évidence pour une autre raison. Dans les premiers temps d'une relation, l'homme et la femme entretiennent très souvent un rapport tellement fusionnel que chaque être occulte complètement ses propres besoins. Le couple ne prend pas le temps nécessaire pour mesurer comment la relation va évoluer, et ce, principalement parce qu'il ne conçoit pas que la relation puisse évoluer. Elle est tellement parfaite sous cette forme. Une fois revenu des premiers émois de la fusion amoureuse, un être, s'il est blessé, formule de façon quasi systématique le même reproche: «Tu as changé!» Mais comment pourrait-il en être autrement? La fusion amoureuse ne peut pas constituer un cadre suffisant à la relation. L'amour est beaucoup plus vaste que cela. Simplement, de nombreux couples sont piégés, parce qu'ils ne se sont pas mis en état de le concevoir.

Enfin, dans le couple, les codes de respect relatifs à l'amour-amitié (Philia) et à l'amour fondé sur l'ouverture (Agapè) ne sont pas évoqués entre partenaires amoureux pour une dernière raison. Aucun des deux membres du couple n'éprouve vraiment le désir de donner à l'autre les moyens de disposer de sa liberté face à lui. C'est pourtant là un préalable indispensable à l'harmonie. Vaincre le Syndrome d'amour, c'est se proposer des codes conjoints d'ouverture à l'autre et au monde. Par la suite, ces codes seront les garants de la bonne qualité de la relation.

Mais si, grâce au dialogue, le couple est parvenu à prendre conscience de la nécessité d'intégrer à son amour les trois dimensions de la relation pour s'accomplir véritablement en se respectant, il lui reste cependant encore une difficulté à contourner.

Le deuxième écueil de la relation naît de la liberté amoureuse

L'ère individualiste livre la relation à tous les aléas de l'individualisme même.

Éros, Agapè et Philia sont des valeurs, mais ne sont pas des principes. Comme les êtres ne sont plus obligés les uns vis-à-vis des autres, qu'est-ce qui va leur permettre de comprendre où est leur vérité ? Libérés de leurs principes, ils vont pouvoir en théorie vivre Éros, Philia et Agapè avec la terre entière. Si chacun n'est plus obligé vis-à-vis de personne, chacun va, et c'est normal, avoir la possibilité de vivre la fusion amoureuse avec tous les êtres qu'il rencontrera.

Fidèle au principe de l'individualisme qui prescrit de ne pas avoir de principes, la fidélité risque donc de disparaître. C'est en tous les cas ce qu'objecteront tous les tenants de l'éthique traditionnelle. L'être individualiste, s'il applique à la lettre ses propres principes, tirera sa révérence à l'autre une fois l'Éros accompli. Il se retirera de la relation à peine esquissée tout en respectant l'autre (Philia) avec beaucoup de politesse et un certain savoir-vivre et montrera même qu'il est très ouvert sur Agapè parce qu'il sera prêt à offrir son amour au monde entier. Peu avare de superlatifs, cet être perpétuellement en rut sera même capable, à l'occasion, de parler d'amour universel. Mais la disparition des principes face à cette forme d'amour universel annonce alors, vous l'avez bien compris, la mort du couple actuel.

LÀ OÙ L'INDIVIDUALISME DEVIENT UN PRINCIPE HUMANISTE

À l'ère de l'individualisme, chacun devient son propre roi et même, mieux, son propre dieu. Ses propres besoins et ses propres sentiments prédominent donc sur toute autre chose. Et c'est là que nous voyons jusqu'à quel point l'individualisme le plus extrême peut tout à fait rejoindre l'humanisme le plus fécond. Si je suis mon propre dieu, je n'admets pas que quiconque puisse me blesser, me faire du mal. Précisément parce que je suis le principe suprême, je me dis donc qu'il faut que je me conduise bien avec l'autre si je veux que l'autre se conduise bien avec moi.

> *Agis avec l'être aimé*
> *comme tu voudrais que l'être aimé agisse envers toi.*

Si chacun est son propre dieu, cela signifie qu'il est capital de ne pas nier l'importance de l'autre. Parce que sans l'autre pour me valoriser, ce que JE suis est nié. Je fais attention à la qualité de la relation que j'entretiens avec l'homme ou la femme qui m'accompagne parce qu'il me serait insupportable À MOI que l'autre, par son comportement même, nie ce que je suis ou me fasse du mal.

Cet impératif humaniste, « Agis avec l'autre comme tu voudrais que l'autre agisse envers toi », a été formulé pour la première fois il y a trois siècles par Emmanuel Kant. Non seulement il semble n'avoir pas pris une ride, mais à l'ère de l'individualisme[5], ce précepte a même des airs de jeune homme, de jeune femme.

À l'ère de l'individualisme, l'homme et la femme n'ont plus vraiment d'obligations. Ils sont vraiment libres. Les plus ouverts d'entre eux se sont débarrassés de tous les principes ancestraux. Dans cette nouvelle nudité de principes, ils se trouvent donc sans aucun autre guide que leur cœur. Agir avec l'autre comme chacun voudrait que l'autre agisse avec soi donne au cœur toutes les assurances de disposer là d'un guide de conduite sûr. Le cœur possède alors toutes les clés de l'harmonie amoureuse et dans ce cadre, chacun peut vraiment donner à la relation sa juste place. Il ne s'agit plus de faire confiance à l'autre ; il s'agit d'abord de se faire confiance à soi, non plus par respect pour l'autre mais par respect pour soi.

Jusque-là, chacun pensait se connaître, mais chacun craignait les réactions de l'autre. C'était une des raisons du repli amoureux, par crainte de voir leur échapper l'homme ou la femme qui les accompagnait. Avec l'application de ce principe, plus un être est à l'écoute de ce qu'il ressent lui-même, plus il acquiert les moyens proprement techniques de comprendre l'être qu'il aime.

Riches du précepte qui porte à agir avec la personne qu'on aime comme on voudrait qu'elle agisse envers soi, l'homme et la femme peuvent alors découvrir que lorsque l'on ne respecte pas l'autre, c'est en réalité soi-même que l'on ne respecte pas. Dès lors, contrôler et surprotéger l'autre n'a donc plus aucun sens dans une dynamique fondée sur le respect similaire. Et chacun pourrait bien perdre le goût de la surprotection «de» l'autre simplement parce que la surprotection «par» l'autre semble généralement assez mal acceptée.

L'homme et la femme, n'ayant comme seul bagage que le respect mutuel, pourraient donc détenir le *code magique*: «Agis avec l'autre comme tu voudrais que l'autre agisse avec toi», une des clés leur permettant de s'aimer sans jamais cesser de se respecter.

Mais les rapports harmonieux ne pourront pas véritablement naître tant que nous n'aurons pas compris une dernière chose. L'être humain est une totalité en soi. Chacun a dans ses mains, en vertu de sa sensibilité, tous les moyens de comprendre l'autre sexe. Et comme l'harmonie a été préétablie et qu'elle existe au cœur de chaque être, au cœur même de ses cellules, aimer revient à approfondir avec l'autre l'harmonie individuelle.

Chapitre 11

ÊTRE GUIDÉ PAR L'AUTRE DANS SON COUPLE INTÉRIEUR

Les hommes et les femmes peuvent s'accorder ensemble, s'aimer sincèrement et loyalement à l'écoute de ce seul précepte: «Agis avec l'autre comme tu voudrais que l'autre agisse avec toi.» Dans le domaine amoureux, cette courte phrase est un véritable sésame pour le couple respectueux de ce qu'il met en œuvre. L'individualiste le plus intransigeant, s'il a des attentes, devient alors parallèlement l'être le plus aimant et le plus prévenant qui soit.

Agir avec la personne qui nous accompagne comme nous voudrions qu'elle agisse avec nous pose tout de même la question des attentes, des désirs. Car si les attentes amoureuses de l'autre sexe sont différentes des miennes, agir avec l'autre comme s'il était moi n'a pas grand sens.

Par conséquent, adopter le comportement amoureux le mieux adapté qui soit passe d'abord par la réponse à deux interrogations:

- Comment s'assurer des désirs de l'autre sexe?
- Comment répondre à ces attentes?

Les couples rares, ces couples définis par leur nature équilibrée, se sont posé à un moment ou à un autre la question des désirs de leur partenaire amoureux. Ils se sont demandé ensuite comment répondre le plus complètement et le plus justement possible à ses attentes. D'une manière ou d'une autre, ils nous ont suggéré cette réponse.

COMMENT S'ASSURER DES DÉSIRS DE NOTRE PARTENAIRE AMOUREUX?

Comprendre quels sont les désirs de notre partenaire amoureux passe par trois prises de conscience successives.

1) Il s'agit d'abord de comprendre que la rencontre entre l'homme et la femme n'est pas que la rencontre amoureuse entre un mâle et une femelle.
2) Il faut considérer ensuite que chacun possède en soi les vibrations de l'autre sexe et que le fait d'écouter son propre «couple intérieur» permet sans doute d'accéder à l'autre.
3) Il s'agit de réaliser à quel point l'empathie est un outil extraordinaire de perception des désirs de l'être aimé.

Un couple, ça n'est pas seulement la rencontre amoureuse d'un mâle et d'une femelle

Il est impossible d'entrer en communication amoureuse avec l'autre sexe, tant que l'on ne connaît pas ses attentes. Or, en ce domaine, nos croyances sur nos partenaires amoureux brouillent les pistes bien davantage qu'elles ne les éclairent.

Comme nous l'avons vu précédemment, les hommes et les femmes rencontrent le Syndrome d'amour principalement parce que leur vie amoureuse a été perturbée par deux croyances nées de deux mythes, et qui prescrivent que :

- Chacun d'entre nous cherche sa moitié pour s'accomplir.
- L'accomplissement psychologique de chacun passe par la rencontre du principe complémentaire au sien, principe mâle pour la femme et principe femelle pour l'homme.

Ces deux croyances ont un point commun regrettable : l'accomplissement individuel passe par l'autre.

Dès leur naissance, l'homme s'escrime à communiquer comme un mâle et la femme à communiquer comme une femelle afin que les deux sexes puissent se rencontrer et les êtres complémentaires s'aimer. Mais le grand malentendu de cette communication homme-femme, c'est que l'homme n'est pas qu'un mâle et que la femme n'est pas qu'une femelle.

Comme nous l'avons vu, le principe mâle définit traditionnellement l'homme social, viril et dur. Complémentaire à ce principe mâle, le principe femelle fabrique la femme sociale, ouverte et chaleureuse. Dès la naissance et sans même le savoir, nous sommes donc inscrits dans ce rapport intangible qui consiste à être un homme et donc à être masculin ou à être une femme et à être féminine. Ce raisonnement simple manque cruellement de nuances. En effet, certains hommes ont en eux une part féminine importante. Ils n'ont pas de problèmes d'identité sexuelle. Ils sont clairs avec leur principe masculin et ne se sentent pas forcément attirés vers d'autres hommes plus masculins. Simplement, ils font vivre leur part féminine faite d'ouverture émotionnelle. De leur côté, sans remettre en cause le principe féminin qui les habite, certaines femmes ressentent parfois le besoin d'entretenir des relations tranchées et dures. Elles font alors vivre leur part masculine faite de force.

À côté des *principes* mâle et femelle que nous avons déjà identifiés dans la deuxième partie, il nous faut absolument parler maintenant des *mouvements* masculins et féminins qui nous animent. Car si nos gènes nous assignent certes un comportement générique, mâle pour les hommes et femelle pour les femmes, l'autre sexe parle en nous de multiples façons. S'ouvrir aux vibrations de l'autre sexe présent dans notre corps et dans notre cerveau, c'est se donner les moyens d'accéder aux ressources de notre «couple intérieur». Et se donner alors les moyens de comprendre à quel point les attentes et les besoins de notre partenaire sont en réalité bien compréhensibles lorsque nous nous ouvrons à nos propres vibrations.

Du sexe de la naissance à la réalité du couple intérieur

Selon le paradigme dominant (le paradigme désignant l'état d'esprit propre à une époque), tout se passe comme si l'homme avait été fabriqué à partir d'autres hommes et la femme à partir d'autres femmes. En d'autres termes, c'est comme si les hommes et les femmes avaient grandi loin l'un de l'autre sur des planètes régies par des règles différentes et c'est comme s'ils se rencontraient pour la première fois au moment de s'accoupler. Curieux êtres que ces hommes et ces femmes, qui se rencontrent sans doute sur Vénus ou sur Mars[1]. Pour notre part, essayons de voir plutôt comment se comportent concrètement les hommes et les femmes qui sont nés sur la Terre.

Sur Terre, l'homme n'est pas produit par l'homme. Sa création génétique n'est possible que par l'intervention physiologique de trois femmes dont les traces se retrouvent dans ses gènes. Ces femmes sont d'abord bien évidemment sa mère génétique, mais dans la parentèle, deux autres femmes de la génération précédente interviennent également sur le plan génétique. Il s'agit de la grand-mère maternelle et de la grand-mère paternelle. Pour la femme, un processus similaire se met en place. Les gènes de son père forment une part de son capital génétique. Mais la petite fille porte aussi en elle une partie du capital génétique de deux autres hommes, soit son grand-père paternel et son grand-père maternel. Dans la formation du capital génétique d'un être humain, les deux sexes sont imbriqués l'un dans l'autre. Et ils le sont beaucoup plus étroitement que ce que l'on pense lorsqu'on oppose un peu rapidement un sexe à un autre dans l'objectif d'insister sur leurs différences.

L'homme et la femme ont ainsi en eux tous les moyens de comprendre les vibrations de l'autre sexe. Inscrit dans ses gènes, l'autre parle à travers soi. L'autre n'est pas un étranger ou une étrangère dont la nature nous est brusquement révélée au moment de la rencontre amoureuse. Les vibrations de la femme vivent en l'homme, les vibrations de l'homme vivent en la femme. Dans ses cellules, chacun possède le bagage génétique indispensable pour comprendre ce que vit l'autre, pour comprendre ses émotions. Mais prenons plutôt pour exemple l'action de l'hormone mâle par excellence, puisqu'elle intervient dans le mouvement même de la sexualisation de l'homme: la testostérone.

La testostérone est considérée comme une hormone mâle parce qu'elle œuvre activement au développement des gonades masculines. Plus tard, au moment de l'acte sexuel, elle entre massivement en jeu dans les mécanismes de désir masculins. Comme elle est présentée comme une hormone masculine, son rôle dans le mécanisme du désir féminin est beaucoup moins connu, mais pourtant tout aussi certain. La période la plus favorable à la procréation pour la femme est une période où un fort pic de testostérone se produit dans le corps féminin. Ce fort pic de testostérone contribue à activer les désirs sexuels féminins. D'ailleurs, les fabricants pharmaceutiques le savent bien. Certaines pilules anticonceptionnelles, en diminuant le taux d'hormones mâles, inhibent également en partie la libido féminine. C'est là un des paradoxes du désir chez la femme: il repose en partie sur l'action d'hormones mâles produites depuis et par le cerveau féminin.

Chaque être est une totalité en soi
et possède toutes les clés pour comprendre l'autre.

L'homme et la femme ont ainsi en eux une part de l'autre sexe, une part d'ombre qui vit plus ou moins recluse, plus ou moins cachée. Le psychanalyste Carl Jung, plutôt que de parler de la part de l'autre sexe en soi, préférait employer les concepts d'*anima* et d'*animus*[2]. Il parlait de l'animus (ou esprit) pour désigner l'homme intérieur et d'anima (ou âme) en évoquant la femme intérieure. Ces personnages intérieurs sont la part d'ombre, la part de l'autre sexe. Cette part de différence indispensable à notre propre équilibre.

Comprendre sa compagne ou son compagnon ne semble pas insurmontable pour qui sait s'ouvrir aux ressources de son cœur et à ce qu'il ressent plutôt qu'à ses croyances. Croire, en évoquant l'homme, qu'il est le mâle et croire, en évoquant la femme, qu'elle est la femelle empêche les hommes et les femmes de vraiment se comprendre.

Ainsi, pour prendre un exemple, lorsque hommes et femmes évoquent ensemble le rapport amoureux, ils affirment très sérieusement et en toute bonne foi qu'après l'acte amoureux, l'homme est porté à l'endormissement et pas la femme, parce que l'action d'une hormone, l'endorphine, conduit ce dernier vers le sommeil et pas la femme. Prenant prétexte d'un taux supérieur d'endorphine sécrété par l'hypothalamus, après l'acte sexuel, les hommes tomberaient dans un endormissement quasi-cataleptique et pas les femmes. Des couples en panne de dialogue amoureux nocturne voient ainsi cette antienne rythmer leur vie sexuelle et ils pensent : « C'est comme ça, c'est la nature ! » Mais si, plutôt que de confier naïvement leur vie amoureuse aux aléas de la pression de leurs hormones, les couples faisaient davantage confiance à leur cadran de montre ? En prenant un peu de recul avec le phénomène biologique, ils s'apercevraient alors qu'au fil des ans, dans le monde occidental, l'heure du coucher a été partout retardée. Ce qui signifie que les couples se retrouvent dans l'intimité amoureuse à des heures de plus en plus tardives et lorsqu'ils vont se coucher, ils sont tout simplement fatigués[3]. S'ils se retrouvaient intimement plus tôt dans une soirée qui succède déjà à une journée de travail éprouvante, au lieu de s'étreindre en fin de programme télévisuel, l'endorphine serait beaucoup moins efficace et les hommes ne sombreraient sans doute pas aussi rapidement dans le sommeil. Il est d'ailleurs assez étrange que brusquement, lorsqu'ils sont en vacances et reposés, les couples passent un temps beaucoup plus considérable à faire l'amour sans que les hommes soient aussi efficacement anesthésiés par l'action antalgique et soporifique de leurs hormones. En passant, notons d'ailleurs que l'endorphine n'est pas une hormone spécifiquement masculine!

L'homme et la femme sont différents, mais ont en eux la capacité de comprendre l'autre s'ils écoutent leur mouvement biologique propre et dialoguent avec leur partenaire afin de trouver un rythme commun et satisfaisant à leur relation.

La compréhension de la personne que nous aimons devrait être immédiate pour une autre raison. Si l'homme et la femme sentent battre dans leurs cœurs les cellules de l'autre sexe, ils sont également mis en contact tous les jours avec les conditionnements de l'autre sexe. C'est toute la force de leur «couple intérieur».

Les hommes et les femmes sont élevés ensemble depuis toujours. Côte à côte, ils ont participé au développement de l'humanité, avant même les australopithèques qui vivaient déjà ensemble dans les arbres, il y a huit millions d'années. Nombre de garçons et de filles naissent et grandissent avec, autour d'eux, des frères ou des sœurs, des cousins et des cousines de l'autre sexe. Des copains et des copines, des confidents, amis ou amies, viennent encore ouvrir leur esprit. Alors pourquoi, dans ces conditions, dès lors qu'il s'agit du rapport amoureux, la compréhension de l'autre devrait-elle être brusquement placée dans un halo de mystère presque insondable? Pourquoi l'homme et la femme devraient-ils réagir comme s'ils se rencontraient pour la première fois depuis leur naissance? Concrètement, posons-nous plutôt une autre question: est-ce qu'il m'est impossible de connaître les besoins de mon frère? Ou bien encore: les attentes de ma sœur sont-elles incompréhensibles? Sans entrer pour autant dans leur intimité amoureuse et sans absolument placer la discussion sur un terrain incestueux, il est toutefois assez aisé de se dire que comprendre l'autre ne semble pas constituer une difficulté infranchissable.

Tous les êtres humains, aussi bien en vertu de leur histoire individuelle que de la richesse de leur capital génétique, portent en eux-mêmes, indépendamment de la rencontre amoureuse, toutes les clés nécessaires pour comprendre l'autre, à travers leur « couple intérieur ». Certains hommes et certaines femmes en sont bien conscients et les couples qu'ils forment avec leur partenaire sont alors porteurs de nouvelles attentes.

Certains êtres savent qu'ils forment chacun de son côté une totalité en soi ; d'autres l'ignorent ou feignent de l'ignorer.

Les hommes et les femmes, en ce qui concerne la relation amoureuse, se divisent donc en deux catégories distinctes.

Certains couples disent :
– Nous sommes un couple heureux.

D'autres couples disent :
– Nous formons un couple heureux.

Les couples qui disent « *nous sommes un couple heureux* » pensent qu'un homme et une femme se complètent par leurs différences et qu'ainsi, à deux, ils « sont » un couple accompli. Les couples qui disent « *nous formons un couple heureux* » savent que chacun des membres du couple possède en lui-même les moyens d'être accompli, mais ils décident malgré tout de « former » ensemble un couple, simplement parce qu'ils s'aiment.

Entendons-nous bien, les êtres qui « forment » un couple ne s'aiment pas davantage que les êtres qui « sont » un couple, mais ils s'aiment autrement. Les êtres qui « forment » un couple ne pensent pas qu'ils seront davantage accomplis avec l'autre ; ils savent que l'accomplissement est individuel. Simplement, ils pensent qu'avec l'autre, ils pourront partager.

Les êtres qui « sont » un couple heureux se préparent des lendemains difficiles. Que vont-ils devenir le jour où ils ne seront plus un couple ? Ne le leur demandez pas, ils n'osent même pas y penser et pour ne pas avoir à y penser, ils investissent toute leur énergie à ne pas mettre à mal la forme symbiotique de leur relation. Dans ces couples, les deux partenaires ne trouvent jamais d'épanouissement l'un sans l'autre. Il n'y a donc pas d'épanouissement individuel possible ni pour l'homme ni pour la femme qui composent ces couples. Ils sont chacun moins accomplis que les êtres humains qui ensemble « forment » un couple. Fondamentalement, ces derniers savent une chose, c'est que leur être propre est une totalité et que l'être qui s'avance vers eux est également une totalité.

Les couples les plus harmonieux sont faits de deux êtres conscients, deux êtres équilibrés qui ont tous deux conscience de la réalité de leur « couple intérieur » et n'oublient pas de l'écouter. À la fois plus forts et plus doux, plus entiers et plus sincères, ils ne cherchent plus leur accomplissement à l'extérieur d'eux-mêmes et ne vont pas attendre de leur partenaire amoureux cet accomplissement. Deux indépendances se rencontrent. La relation fait naître à l'épanouissement, au bourgeonnement intérieur de deux êtres accomplis, jusque-là solitaires.

> *Lorsqu'il sait qu'il est une totalité en soi,*
> *l'être n'est pas à la recherche de la part de l'autre sexe*
> *qui lui manque.*
>
> *Il est en lui-même homme et femme*
> *et c'est parce qu'il laisse vivre*
> *ses deux parts de lui-même qu'il est authentique.*

L'être de demain sait qu'il possède à l'intérieur de lui-même, au cœur de ses cellules, la part de l'autre sexe, ce que nous appelons un «couple intérieur». En se connectant à sa part féminine pour l'homme, à sa part masculine pour la femme, il a accès plus directement au mode psychique spécifique de l'autre sexe. Connecté à son couple intérieur, c'est-à-dire à la part de l'autre sexe qu'il écoute parce qu'elle vibre en lui, il peut mieux comprendre son partenaire. En phase avec son être propre, il laisse vivre librement en lui ses deux mouvements et peut passer de l'un à l'autre sans difficulté.

Le couple intérieur de chacun
renforce chaque homme
et chaque femme
dans sa compréhension de l'autre.

Dans ces couples, l'homme et la femme vivent en harmonie et trouvent le souffle de leur mouvement porté par l'autre dans le couple. Le couple devient alors le promoteur de valeurs partagées par deux êtres libres.

Dans le domaine de l'écoute intime, le mouvement de notre partenaire est plus important encore pour l'harmonie amoureuse que son sexe de départ. C'est d'abord parce que nous retrouvons chez l'autre les vibrations qui sont présentes en nous que la relation est équilibrée.

Deux contre-exemples nous permettront de mieux comprendre.

Exemple 1: Vous êtes animé(e) par un mouvement de douceur conséquent.

- Vous êtes un être très doux, animé par un grand mouvement d'ouverture émotionnelle féminin; vous ne pouvez être heureux qu'avec une personne très douce. Si l'autre personne est plus dure, animée par un mouvement masculin, vous serez malheureux(se), parce que la relation vous semblera inégalitaire. Vous aurez sans cesse le sentiment de faire des efforts pour vivre au diapason de l'autre. Et l'autre, parce que vous adoptez des codes de communication doux, risque de penser que vous êtes faible.

Exemple 2: Vous êtes animé(e) d'abord par un mouvement très énergique.

- Vous êtes maintenant un être dont la caractéristique principale est l'énergie. Parce que vous aimez vous surpasser, vous êtes sans cesse à la recherche de nouvelles activités, de nouveaux défis. Vous serez donc foncièrement à l'aise avec un être éprouvant le même type de vibrations que vous. Si la personne qui vous accompagne est très différente, animée par un mouvement plus lascif, elle risque de vous sembler molle et assujettie à vos désirs. Elle manquera vite d'intérêt à vos yeux. De son côté, elle prendra le mouvement de votre vivacité pour une débauche d'énergie.

Les couples équilibrés fonctionnent instinctivement selon le même tempo et épousent les mêmes valeurs. Personne ne cherche à posséder personne. Leur rapport amoureux n'est pas un rapport de domination, un rapport de pouvoir, un rapport de forces, parce que dans ces couples, hommes et femmes alternent ensemble mouvement masculin et mouvement féminin au gré des situations ou de leurs activités.

À l'écoute de leur couple intérieur, les hommes et les femmes disposent également d'un autre outil pour accéder à l'autre et le comprendre: l'empathie.

L'empathie permet d'accéder aux sentiments de l'homme ou de la femme aimé(e)

L'empathie traduit la capacité de ressentir soi-même ce que notre partenaire pense ou ressent. Elle contribue à accéder au mouvement psychologique de l'homme ou de la femme qui nous accompagne. Il semble par ailleurs que les ressorts de l'empathie nous permettent d'accéder à notre interlocuteur indépendamment de son sexe[4]. L'empathie naît d'un mimétisme moteur inné chez l'enfant. Ce mécanisme disparaît sous cette forme vers l'âge de deux ans. À cet âge, son développement psychomoteur permet à l'enfant de prendre conscience qu'il est un être distinct de celui dont jusque-là il ressentait les émotions par mimétisme moteur. L'empathie nous apprend donc que l'enfant lit les émotions par-delà le sexe de l'autre, comme si les émotions dépassaient la nature sexuelle de celui qui les exprime. En d'autres termes, ce n'est pas parce qu'un être humain est de sexe différent que ses émotions, ses manières d'être ne nous sont pas accessibles. Dans le monde de demain, nous pouvons faire l'hypothèse que les relations entre les êtres ne seront vraiment équilibrées que si les hommes et les femmes sont capables de devenir totalement empathiques.

Le psychologue américain Robert Rosenthal montre après l'avoir testée que la capacité à accroître ses capacités empathiques et à accéder aux émotions de l'autre se développe effectivement indépendamment du sexe de l'être humain. Et si, en moyenne, les femmes réalisent des performances légèrement supérieures aux hommes, ceux-ci, en travaillant leurs aptitudes à l'empathie, peuvent améliorer leurs performances dans les mêmes proportions que les femmes[5]. Soumis à des tests[6], les êtres les plus empathiques, hommes ou femmes, sont capables de se mettre dans la peau de leurs conjoints et compagnes. Ils épousent même inconsciemment, avec une grande exactitude, aussi bien leurs attitudes que le rythme cardiaque, la transpiration et les mouvements du corps de l'autre. À ce stade, les hommes et les femmes observés sont capables alors de décrire les émotions ressenties par leur conjoint ou conjointe, comme s'ils les avaient ressentis eux-mêmes[7]. Ces mêmes expériences montrent à quel point les hormones de l'autre sexe parlent en nous. Grâce à elles, les messages de l'autre corps parlent au nôtre. Ces hormones sont « bilingues » ; elles parlent le langage de l'autre sexe dans notre corps, comme elles parlent le langage de notre sexe dans l'autre corps. Elles sont prêtes à nous apprendre ce langage émotionnel si nous prenons le temps de les écouter[8].

Lorsque sont invoquées les différences entre l'homme et la femme, la question de l'enfantement vient toujours à un moment ou à un autre à être posée. Évidemment, même s'il vit avec les hormones de la femme, un homme n'est pas conçu pour connaître l'émotion née du désir de porter un enfant. Pourtant si l'on considère le phénomène de l'empathie, connaissez-vous ce mécanisme si répandu, appelé parfois un peu vite et simplement la « grossesse des pères » ? Il traduit dans les mots le fait qu'à l'occasion de la grossesse des femmes avec lesquelles ils vivent, un nombre conséquent d'hommes se mettent à prendre eux aussi du poids, et ce, dans des proportions significatives. Il est certain que l'équilibre psychologique du couple est modifié par l'arrivée d'un enfant. Il est également assez évident qu'un enfant désiré et conçu par deux êtres provoque un effet d'empathie important de l'un envers l'autre. À cette occasion, l'empathie se traduit souvent chez l'homme par une surcharge pondérale. Et même si elle n'a ni quantitativement ni moins encore qualitativement à voir avec la réalité d'un enfant porté, elle n'en reste pas moins de la part de l'homme l'expression visible, un peu ridicule mais si humaine, de son empathie.

L'ouverture à son couple intérieur et la prise de conscience empathique sont deux qualités qui nous permettent de déceler avec une infinie justesse les désirs de l'être que nous aimons. Cette aptitude à comprendre l'autre permet en même temps de comprendre que nous ne sommes pas différents. Ainsi, pour répondre à la question : l'autre sexe a-t-il des désirs différents de son propre sexe ? Clairement, l'autre sexe n'a pas de raisons identifiées d'avoir des attentes différentes des nôtres, car l'autre sexe est en nous. Chaque être possède un couple intérieur avec lequel il lui convient de dialoguer. Le couple intérieur de chacun lui parle de l'autre. Inversement, la part de notre sexe qui vit dans l'ombre chez notre partenaire le rapproche sans doute davantage de nous que ce que nous sommes prêts à croire. Et nous sommes en fin de compte toujours beaucoup plus proches de l'autre que ce que nous pensons.

Demandons-nous maintenant comment répondre aux attentes de notre partenaire de la manière la plus adaptée qui soit, et nous aurons alors en main les clés de communication des couples rares.

COMMENT RÉPONDRE AUX ATTENTES DE SON OU SA PARTENAIRE?

La stratégie la plus efficace pour répondre aux attentes de notre partenaire va vraisemblablement consister à rester soi.

Mais pour comprendre ce que signifie «rester soi» et la richesse que peut conférer une telle attitude, le détour par une métaphore pourrait paradoxalement nous aider à gagner un temps précieux. Jean de La Fontaine, ce formidable traducteur des ressorts des passions humaines, a su traduire par son imaginaire, à travers une fable, un enseignement que nous livrons à votre sagacité.

Dans *Le laboureur et ses enfants*, sous couvert de leur faire un cadeau, un brave paysan fait passer à ses enfants un de ces enseignements susceptibles de transformer une vie.

Pour peu que nous n'ayons jamais eu accès à cette fable, nous aurions tort de nous priver de ses leçons. Voici en substance ce que, par la bouche d'un laboureur rusé, l'écrivain essayiste français nous incite à comprendre:

> *Avant de mourir, un laboureur offre un champ en jachère à ses enfants. Il leur explique qu'un trésor y est enfoui et qu'il leur appartient de le découvrir pour être riches. Les enfants retournent alors le champ sans y trouver de trésor. Ils sont sur le point de se répandre en désolation lorsqu'ils s'aperçoivent que le champ retourné est lui-même devenu un trésor. Prêt à être ensemencé, il est en effet devenu le trésor de blé, d'orge ou d'avoine dont il sera le garant une fois la récolte faite.*

Ce que le laboureur apprend à ses enfants, à leur insu, mérite d'être médité. Chacun d'entre nous a en effet chaque jour l'occasion de choisir la stratégie inconsciente jouée dans ce champ en jachère par les fils du paysan. Nous apprenons ici que si nous sommes prêts à les voir et à les écouter, les plus beaux trésors ne sont pas forcément à l'extérieur du champ, c'est-à-dire à l'extérieur de soi[9]. Plutôt que de penser qu'il faut toujours imputer à des acquisitions extérieures le moyen de notre bonheur, sachons que les trésors sont sans doute plus certainement… en nous.

Plaire à l'autre, c'est d'abord se montrer sous son vrai visage, se montrer soi. C'est la seule condition d'accessibilité pour soi et pour les autres aux ressources de notre propre beauté intérieure. Mais ce n'est pas là la chose la plus simple, car il faut d'abord lever ses propres fermetures.

Lever ses fermetures et accéder à sa propre beauté intérieure

Les hommes et les femmes vivent souvent l'un avec l'autre un rapport très tendu, pour une raison simple: ils manquent de confiance en eux. Pareils aux enfants du laboureur persuadés que tous les trésors sont toujours extérieurs à eux, les êtres qui manquent de confiance en eux cherchent la vérité à l'extérieur d'eux-mêmes. Ils pensent qu'une plus belle voiture, qu'une plus belle maison, qu'une plus belle situation vont leur permettre d'acquérir un meilleur équilibre. Ils pensent donc par la même occasion qu'une femme plus belle et sereine, qu'un homme plus beau et affirmé, vont les aider à bonifier leur situation et à être plus équilibrés. La source de leur bonheur est à l'extérieur d'eux-mêmes. L'autre est la condition de leur équilibre comme le trésor caché est la condition de la richesse. La relation est une planche de salut, l'autre à rencontrer est le trésor extérieur.

Certains êtres différents ont davantage confiance en eux. Ils savent qu'ils sont une totalité en soi. Ils ont fait confiance à leur couple intérieur et abordent l'autre sexe comme ils aborderaient l'autre partie d'eux-mêmes. Ils reconnaissent chez l'autre ce qu'ils vivent en eux. Autour d'eux, ces êtres imposent leur charisme. Consciemment ou inconsciemment, ils se sont donné les moyens de vivre une vie épanouie, de construire un couple plus harmonieux. Ils se sont donné les moyens de rester eux-mêmes dans la relation. Plus charismatiques parce que plus détendus et naturels, ils sont plus simples. Ils offrent l'accès possible à leur beauté intérieure ; demandons-nous ce qu'elle est.

Au premier coup d'œil un peu rapide, certains êtres sont plus beaux que d'autres. Mais ce n'est pas de cette beauté-là dont il va être question ici. La beauté extérieure est facilement repérable. Elle est née dans la régularité des traits et la répétition harmonieuse des lignes du visage et du corps. Les critères de sa détermination sont en partie universels et en partie culturels. Dès qu'on la croise, cette forme de beauté déclenche immédiatement des stimuli sensoriels. Mais sans la flamme intérieure indispensable pour la faire briller, la beauté extérieure lasse lorsqu'elle ne se fait pas tout simplement oublier. Les adolescents, par exemple, sont très souvent beaux et affichent par leur jeunesse une beauté sauvage. La vie n'a pas encore fait son travail d'usure et l'on parle chez eux de *beauté du diable*. Mais lorsque la beauté du diable passe, chez certains êtres, avec elle, c'est la beauté qui passe tout simplement. Chez d'autres hommes, d'autres femmes en revanche, la beauté agrémentée d'un « je ne sais quoi » se renforce au fil des ans et devient plus présente en marquant les traits d'une manière définitive. Ce « je ne sais quoi » est en réalité l'expression de la beauté intérieure. Le langage de cette beauté va se voir dans leur regard et sur leurs traits. Cette beauté intérieure se lit également dans leur langage corporel.

Mais qu'est-ce qui se cache derrière la beauté intérieure, quels sont les critères de sa reconnaissance, de son affirmation ? D'où vient-elle et pourquoi est-elle si visible chez les couples équilibrés, les couples rares ? Examinons.

L'être heureux d'être ce qu'il est, l'être conscient qu'il n'est pas différent de la personne de l'autre sexe ne cherche pas à se cacher. Il n'a d'ailleurs aucune raison de le faire. Il agit avec l'autre comme il voudrait que l'autre agisse avec lui-même. Comme il ne se cache pas, son assurance lui permet de mettre en lumière davantage de facettes de sa personnalité, des facettes qui ne sont plus étouffées par les manifestations du Syndrome d'amour.

L'assurance ! Savez-vous que près de 40 % des étudiants, aussi bien sur le continent européen que sur le continent américain, ont peur du sexe opposé au leur, au moment du premier contact[10] ? Or, que fait l'être humain qui a peur ? Il se cache tout simplement pour n'avoir pas à se découvrir. Il craint de montrer ses faiblesses et perçoit l'autre comme un adversaire. Il a peur que cet adversaire s'engouffre dans ses faiblesses.

Dans le couple, c'est la peur des réactions de l'autre qui nous amène à nous recroqueviller et nous empêche de rayonner. Mais comment pourrait-il en être autrement ? Il n'est pas possible de reprocher à l'être auquel nous nous sommes nous-mêmes fermés de n'être pas plus ouvert face à nous. Ne reprochons pas à l'autre notre propre attitude. Les êtres les plus équilibrés ont compris cela. Ils ont compris que si dans la rue nous mettons en œuvre des comportements systématiques caractérisés par l'enfermement, nous rendons impossible l'accès à notre propre beauté intérieure.

La nouveauté fait peur alors que c'est précisément elle qui est la garante de l'équilibre amoureux partagé. D'une part, l'être humain seul se protège par manque de confiance ; d'autre part, en couple, il transfère son manque de confiance en lui en l'autre. Ces craintes ont pour effet d'empêcher à jamais l'être humain d'être beau et l'enchaînent à ses conditionnements.

Les fermetures amoureuses

- *Les fermetures de l'autre ne sont sans doute que le miroir de nos propres fermetures.*
- *Personne n'est jamais certain de pouvoir changer l'autre.*
- *En revanche, chacun peut changer d'attitude pour porter un autre regard sur l'autre.*

Mais à partir du moment où nous faisons fi de nos fermetures et entrons en communication sans a priori, sans préjugés, sans craintes inavouées, nous nous donnons la possibilité de devenir nous-mêmes de beaux êtres dans nos relations.

Les êtres ouverts à leur beauté intérieure nous donnent ainsi à penser que la meilleure stratégie en matière amoureuse est sans doute de rester soi. Richard Fleet, dans un ouvrage sur la vérité et les mensonges à propos de la séduction[11], relève que l'anxiété enlève tout son impact à la séduction. Il parle des pensées irréalistes qui constituent des barrages avec son interlocuteur. Nous comprenons à l'énonciation de ces pensées qu'elles proviennent simplement de croyances erronées sur l'autre et donc sur soi-même. L'ouverture à son propre couple intérieur va de pair avec la prise de conscience qu'il permet à la fois d'accéder aux sentiments de l'autre, mais également de ne plus voir l'autre comme un étranger, une étrangère, d'oser s'ouvrir à lui ou à elle, de lui donner accès à notre beauté intérieure et à une qualité de communication très améliorée.

L'être assuré, ***celui qui connaît ses racines,*** sait qui il est. Il sait également qu'il n'est jamais obligé à l'échange et à la communication. Il n'a pas peur parce qu'il sait que la personne qui l'accompagne n'est pas différente de ce qu'il est, de ce qu'elle est, et reste à l'écoute de son «couple intérieur». Lorsqu'il va vers cette personne, c'est donc toujours par choix, même si ce choix peut, à tout prendre, être inconscient. Il va à elle sereinement et comme il est serein, ses traits seront plus détendus. L'autre aura alors la chance de découvrir tout le rayonnement d'une beauté intérieure lisible sur les traits, dans les expressions, dans le langage du corps de celui qui vient à sa rencontre, pour le seul plaisir d'être là.

Vivre sa beauté intérieure et la laisser voir à son ou sa partenaire, lui donner le goût de la rencontre et se montrer séduisant, correspond davantage à un état d'être qu'à une technique, et c'est davantage un travail psychologique en profondeur qu'un travail comportemental. Mais la relation, et c'est là son paradoxe, ne peut être vraiment belle et épanouissante que si l'homme et la femme n'attendent pas d'elle que ce soit elle qui leur permette de s'épanouir.

Soyons très attentifs aux ingrédients de la relation amoureuse

Être libre et responsable de sa vie amoureuse oblige à prendre la relation à son compte. Tout le monde est évidemment d'accord avec cette affirmation. Pourtant, lorsque les couples se séparent, combien trouvons-nous d'êtres humains capables de dire: «Je n'ai pas senti venir ce qui se passait, j'en suis donc responsable ?» Dans les faits, très peu de personnes sont capables d'être vraiment responsables de leur liberté individuelle. Les plus honnêtes préfèrent dire que « les torts sont partagés ». Mais il est plutôt rare que quelqu'un dise « c'était ma responsabilité », alors que parallèlement tout le monde ou presque admet que l'on est responsable de ce que l'on met en place dans le domaine amoureux.

Si les hommes et les femmes ne vont pas au bout des principes qu'ils expriment lorsqu'ils disent qu'ils sont « responsables de ce qui leur arrive », c'est parce qu'ils ont parié en silence qu'ils parviendraient à changer l'autre. Ils pensent qu'ils seront assez forts pour bien exprimer ce que la relation doit être et tenir bon le cap de la relation telle qu'ils la conçoivent. Ils pensent également qu'ils seront suffisamment lucides pour faire partager à l'autre cette responsabilité. Mais en réalité, ils devraient plutôt toujours se dire:

> *Je ne peux pas changer l'autre*
> *et la grande erreur consisterait à le tenter.*
> *Je suis entièrement et uniquement responsable de ce qui m'arrive.*

Le seul fait de chercher à changer l'autre montre en effet que nous ne sommes pas vraiment nous-même responsable. C'est la preuve que nous voudrions faire partager cette responsabilité à l'autre et que nous voudrions qu'il change pour prendre sa place dans la relation telle que nous la concevons.

Penser maintenant que l'on peut changer *grâce à* l'autre, c'est rendre l'autre garant de notre propre évolution. En fait, une fois de plus, la seule position possible, entièrement libre et épanouissante, consiste à entrer dans une relation parce que nous aimons celle ou celui que nous rencontrons, que nous l'aimons comme il est. Sans oublier qu'il ne nous appartient pas de vouloir qu'il change et qu'il nous appartient encore moins de le changer.

Il ne faut donc pas attendre de la relation qu'elle soit autre chose qu'un moyen au service de l'amour. Elle n'a de chance d'être vraiment épanouissante que si nous n'attendons pas d'elle qu'elle nous épanouisse. Penser que la relation va nous permettre de nous épanouir est de même nature que de penser que l'argent va nous rendre heureux. La relation n'est qu'un moyen comme l'argent n'est qu'un moyen. Le bonheur est toujours en soi. Nous nous épanouissons « avec », nous ne nous épanouissons jamais « grâce ». Une relation en elle-même n'a jamais rendu personne heureux. Nous sommes heureux avec l'autre, c'est assez différent. Plus nous avons d'attentes et plus nous avons de certitudes d'être déçu, parce que nous faisons dépendre notre bonheur de conditions qui lui sont extérieures. Celui qui se connaît vraiment sait ce qu'il peut attendre de la relation, et n'en attend pas davantage. Il n'attend rien de vraiment particulier de l'autre, car il sait qu'il ne récoltera vraiment que ce qu'il aura semé. Mais en agissant ainsi, il se met alors paradoxalement en état d'être surpris alors par la beauté et la richesse de la relation.

> *Une relation de qualité*
> *ne se met jamais en place à partir de l'autre,*
> *même si l'autre est indispensable à la relation de qualité.*

« Agissons avec l'autre comme nous voudrions que l'autre agisse avec nous » sous-entend que l'autre a sans doute les mêmes attentes que soi. Seriez-vous très heureux d'apprendre que votre partenaire amoureux espère bien pouvoir vous changer dans la relation ? Si nous sommes tous très heureux de changer, nous sommes surtout heureux de le faire parce que nous en avons décidé ainsi. Nous serions sans doute beaucoup moins heureux si nous avions le sentiment que nous changeons parce que l'autre a décidé de nous transformer.

Nous sommes ici au cœur de la réalité qui nous amène inconsciemment à la droite ou à la gauche de l'être qui est à notre bras. Nous nous déportons inconsciemment parce que nous cherchons à donner une direction particulière à la relation plutôt que de la laisser se dérouler librement. Si le déplacement est inconscient, la réalité qu'il révèle, elle, ne l'est pas.

Pour un couple, les projets sont une autre manière paradoxale de se soustraire à sa responsabilité amoureuse.

Dès qu'il s'agit d'amour, chacun est assez prompt à se projeter dans le futur de la relation amoureuse. Pourtant, les projets sont très souvent une manière d'attacher l'autre, de l'enfermer dans la relation lorsque nous pensons que notre qualité d'être ne suffira pas à le rendre heureux.

Le projet est souvent non pas le prolongement, mais le substitut de la relation. Les projets sont de toutes natures et s'harmonisent avec la nature du couple lui-même : enfants, vacances, maison. À propos, savez-vous que, statistiquement, un nombre important de couples se séparent lorsque la maison qu'ils ont mis des années à construire ou à faire construire est terminée. Dans ces couples-là, l'homme et la femme ont demandé au projet d'offrir ce qu'ils n'arrivent plus à de se donner parce qu'ils ont peu à peu perdu l'habitude de se regarder, perdu la capacité de s'aimer. Ce couple a fait des projets derrière lesquels il s'est retranché. Ils ont fait des projets et ces projets, au lieu de les rapprocher, sont peu à peu devenus des barrières à leur rencontre. Peu à peu, le couple n'est plus devenu qu'un projet de couple.

Nous sommes tous très aptes à faire des projets et à projeter ainsi notre conformité à des modèles en vigueur, mais combien d'entre nous prennent le temps de s'arrêter et de se regarder, simplement se regarder ? Combien d'entre nous sont capables de parler avec exactitude de la forme du nez, de la bouche et des oreilles de l'être qu'ils chérissent le plus ? La plupart en sont incapables et pourtant ils pourraient vous décrire en détail le projet de maison qu'ils comptent bâtir avec l'être sans nez, sans bouche et sans oreilles qui est leur partenaire amoureux.

Bien évidemment, ce ne sont pas les projets qu'il s'agit de mettre ici en cause mais le fait que le couple oublie peu à peu que *le projet n'est pas une fin en soi.* Le projet ne doit jamais être qu'un moyen au service du désir amoureux. Chaque fois que nous sommes aussi habiles à nous regarder ici et maintenant que nous sommes habiles à nous projeter dans le rêve commun, la relation est plus épanouissante. L'instant présent a trouvé sa place au centre du couple. Le couple n'est plus un projet de couple, le couple est un couple.

Prenons un autre exemple afin de comprendre combien, sous prétexte de tisser du lien, de mettre en œuvre la relation, en réalité nous mettons très souvent en place des barrières entre soi et la personne que nous aimons. La stratégie la plus courante et non la moins efficace consiste à introduire la télévision au centre de l'espace de la relation. Là encore, ne nous y trompons pas, la télévision en soi ne nous coupe pas de la relation, la télévision n'est qu'un objet, elle n'a pas de volonté. En fait, c'est la nature de la relation conduisant la télévision au centre de leur couple qui est à incriminer. La télévision possède par elle-même toutes les clés pour enrichir l'échange amoureux, mais, le plus souvent, elle devient chronophage. Elle finit par dévorer le temps de l'amour, le temps du couple happé par l'écran[12].

Tâchons de revenir une fois encore sur les apports de l'individualisme à l'identité amoureuse. Tenir une position individualiste, c'est n'attendre rien d'autre de la relation que ce que nous lui apportons. C'est toute la différence entre un trésor matériel et un trésor relationnel. Le trésor relationnel n'existe jamais pour celui qui ne s'est pas mis en condition de le produire lui-même. Celui qui ne s'est pas vraiment mis en situation d'ouverture se rend lui-même incapable de permettre à l'autre de lire en lui, pas plus qu'il n'est capable de lire en l'autre. Il se rend incapable aussi bien de donner que de recevoir. L'être humain qui donne de son temps et de son énergie à l'autre se met en revanche tout à fait rationnellement, sans aménité ni prosélytisme, en situation de recevoir. C'est la stratégie la plus lucide qui est paradoxalement la plus généreuse en amour. Car tout à fait paradoxalement, la relation humaine est ainsi faite: plus on laisse l'autre puiser en soi, plus on lui permet de le faire et plus on se renforce.

> *Plus l'être humain dépense de ressources matérielles,*
> *plus il s'appauvrit.*
> *Plus il dépense de ressources relationnelles,*
> *plus il s'enrichit.*

Voyez comme nous nous sentons ragaillardi après une bonne action, comme un acte généreux, parfois éprouvant physiquement, nous renforce plutôt que de nous épuiser, comme un effort pour une bonne cause nous donne de ressources intérieures une fois qu'il a été effectué.

Répondre aux attentes de son partenaire, c'est d'abord lever ses propres fermetures et s'ouvrir alors à toutes les ressources de sa beauté intérieure. C'est ensuite prendre son entière responsabilité dans la relation et par conséquent se mettre en situation de donner si nous prétendons espérer recevoir. Une fois ces conditions réunies, la relation de couple se transforme et, même s'il n'en a pas toujours conscience, l'être se donne la possibilité de former un couple comme il en existe quelques-uns, un couple rare.

Chapitre 12

DEVENIR UN COUPLE RARE

Au terme de ce périple au cœur du rapport amoureux et de la tentative d'approche des couples les plus équilibrés, deux questions restent posées qui n'ont pas encore trouvé de réponse :

- Qu'est-ce qu'un couple rare ?
- Peut-on se débarrasser du Syndrome d'amour pour devenir un couple rare ?

QU'EST-CE QU'UN COUPLE RARE ?

Le couple rare a été jusque-là défini par défaut. Défini par ce qu'il n'est pas plutôt que par ce qu'il est : le couple rare ne connaît pas le Syndrome d'amour.

Le Syndrome d'amour maintenant défini, la voie semble donc ouverte à la rencontre avec *le couple rare.*

La rareté, issue du mot latin *rarus*, désigne ce qui est peu commun. Les couples épargnés par le Syndrome d'amour sont peu communs pour deux raisons.

1) Les couples rares sont peu nombreux, ils sont « rares ».

2) Leur lucidité est peu commune, elle est « rare ».

Les couples rares sont peu nombreux, ils sont rares. C'est leur positionnement dans la rue l'un à côté de l'autre qui nous a permis de distinguer les hommes et les femmes des couples rares. Leur position dans la rue n'est pas systématique. Qu'ils soient l'un à côté de l'autre ou qu'ils marchent enlacés, le hasard semble présider totalement à leur positionnement dans l'espace. Statistiquement, ces couples ne forment qu'un couple sur sept (voir annexe 1). C'est d'abord en cela que la rareté les désigne. Mais ils sont rares pour une deuxième raison : leur lucidité.

La lucidité des couples rares est peu commune. Dans la rue, le déplacement des couples rares est fluide. Les êtres qui forment les couples rares ont eu la lucidité de comprendre qu'ils étaient assortis, faits pour se rencontrer et qu'ils allaient s'aimer avec loyauté. Cela a été sans doute pour eux une évidence dès la rencontre. Bien évidemment, les critères sur lesquels s'est fondée leur rencontre étaient instinctifs, intuitifs. Pourtant, les critères sur lesquels se fonde la rencontre d'un couple équilibré sont bien connus. Les couples rares sont fondés autour de constantes clairement identifiées. Essayons d'identifier les clés de la sérénité en matière de vie de couple.

En amour, « les contraires s'attirent », oui mais !

Dès la première rencontre, un homme et une femme comprennent très vite qu'ils se ressemblent ou au contraire qu'ils sont bien différents. Des critères aussi bien psychologiques que sociologiques leur permettent de se rendre compte intuitivement qu'ils sont bien « assortis » ou pas. Quoi qu'il en soit, ils vivent au moment de la rencontre le premier temps de leur amour et, qu'ils soient semblables ou différents, ils ont le sentiment que ce qu'ils vont vivre vaut la peine d'être vécu. Ils s'aiment et s'offrent la chance de penser que tout cela peut durer. Ils ne se doutent pas à quel point les ressemblances ou les différences de toutes natures ont des incidences sur la pérennité de leur couple.

Un proverbe ancien dit que « les contraires s'attirent ». Effectivement, nous avons tous observé autour de nous que les différences étaient plutôt attirantes. Les lois de la génétique livrent d'ailleurs le message de la différence génétique comme vecteur de renforcement de l'espèce humaine.

Dans la vie amoureuse, dire que « les contraires s'attirent » revient en revanche à contracter deux temps de la relation amoureuse qui n'ont rien à voir l'un avec l'autre.

1) Le premier temps de la relation est celui de la rencontre. C'est un temps généralement très concentré, très fort, généralement également très érotisé. Dans cette phase de rencontre, bercés par un climat de « lune de miel », deux êtres vivent des moments d'intensité amoureuse qui leur permettent de tout accepter de l'autre. Toutes les différences de l'autre, jusqu'à ses défauts les plus visibles, passent alors pour des qualités. Les contraires se sont attirés. Mais il ne s'agit pas de confondre ce premier temps de la relation avec la relation elle-même.

2) Pour les êtres qui pensent que les différences enrichissent, le second temps de la relation devient souvent un temps de confrontation. Avec le temps, les différences en amour se transforment souvent en dissemblances. Spontanément, les êtres sont différents. En situation de stress ou de fatigue,

moins capables de prendre de la distance avec leurs réflexes spontanés, ils sont susceptibles d'avoir davantage de difficultés à se comprendre, précisément parce qu'ils sont différents.

Par exemple, en ce qui concerne l'organisation quotidienne, dans le premier temps de la relation, un être mal organisé peut charmer une personne qui sera séduite par sa capacité à ne pas se perdre dans son désordre. Mais dans le quotidien, il arrive un moment où le désordre de l'autre empiète sur son quotidien à soi. Le désordre de l'autre se met à déranger et il est alors indispensable de prendre vraiment sur soi pour pouvoir continuer à comprendre ou simplement à admettre un fonctionnement différent du sien.

Autre exemple: l'autre n'a pas les mêmes rythmes de vie que soi. Il a besoin de beaucoup d'indépendance, de moments où il (elle) aime être seul(e) pour se ressourcer, réfléchir ou simplement «être». Souvent, au début de la relation, les temps de solitude dont l'autre a besoin sont consentis de «bon cœur». Les différences de l'autre sont comprises, admises intuitivement. L'aspect solitaire souvent très romantique n'est pas pour déplaire. Mais il arrive le jour où les temps d'indépendance intempestive de l'autre sont vécus comme des moments de solitude pour soi. Il est difficile de comprendre alors ce que l'autre recherche tant dans la solitude et qu'il ne pourrait pas trouver dans l'amour ou simplement dans le partage.

Par ailleurs, «agir avec l'autre comme on voudrait que l'autre agisse avec soi» est toujours plus difficile lorsque les réactions de l'autre sont imprévisibles. S'il est trop différent, il peut arriver que l'on ne puisse plus comprendre l'autre. Nous entretenons alors peu à peu le sentiment que nous n'agirions pas avec lui comme il est en train d'agir avec nous. Si les contraires semblent donc effectivement s'attirer, il est en revanche beaucoup plus difficile de bâtir une relation fondée sur la durée avec un être trop différent. L'attention consistant à répondre aux désirs d'un partenaire trop différent peut conduire à oublier ses propres besoins.

Dans le domaine psychologique, entre un homme et une femme qui opèrent selon la loi de « la différence qui enrichit », très vite, dès le premier élan amoureux passé, le couple né dans la tendresse voit souvent s'éveiller deux étrangers dans son ombre. Plutôt que de rechercher des parties radicalement différentes de soi, la relation sera beaucoup plus riche si elle se fonde au contraire sur *l'autre part du même.*

Le couple rare ou la force conjuguée de deux êtres qui se ressemblent

Vivre une relation harmonieuse, c'est être connecté avec la part de l'être humain qui nous ressemble et c'est comprendre l'autre parce qu'il utilise les mêmes codes de communication que soi. Les couples les plus harmonieux sont le résultat de la rencontre de deux êtres faits pour se rencontrer. Même s'il s'agit là d'un truisme, l'évidence de ces mots simples révèle une part de vérité plus subtile.

> *L'amour s'accomplit*
> *dans la rencontre de l'autre part du même.*

Les hommes les plus accomplis et épanouis dans leur vie de couple sont très souvent des *hommes psychologiques androgynes,* c'est-à-dire des hommes capables d'écouter les vibrations féminines qui parlent en eux. En d'autres termes, un homme construit sur cette base est clair avec son principe sexuel masculin, mais capable de laisser parler en lui ses vibrations féminines. C'est la condition *sine qua non* à une bonne qualité de dialogue avec la femme qui l'accompagne. Et ce couple aura toutes les chances d'être épanoui si cet homme rencontre *une femme psychologique gynandre,* soit une femme claire avec son principe sexuel féminin, mais capable en même temps d'écouter les vibrations masculines qui parlent en elle et qui lui permettront de mieux percevoir les états d'âme de son compagnon.

L'homme androgyne et la femme gynandre ne laisseront pas se refermer leur couple dans un rapport très conventionnel et conditionné, au terme duquel «il convient» d'être comme ceci ou comme cela. Pour ces couples, «il ne convient jamais». Ils vivront ensemble leur part masculine faite d'objectifs, de réussite, et leur part féminine faite de tendresse et d'ouverture émotionnelle. Ils n'entreront pas l'un en face de l'autre dans un jeu de rôles conditionné. Ils auront davantage de chances de trouver conjointement des solutions aux difficultés de la vie à deux, simplement parce qu'ils ne se sentiront pas étouffés par des stéréotypes masculins et féminins à assumer et qu'ils pourront ainsi davantage être eux-mêmes sans cesser d'être ensemble[1].

Les beaux couples sont harmonieux. Ils sont dès aujourd'hui les couples de demain, tout comme ils étaient d'ailleurs déjà hier les couples de demain. En fait, les beaux couples sont des couples éternels et c'est leur expérience qui permet de ne pas désespérer face à l'avenir, de penser qu'il y a un lendemain possible pour le couple. C'est leur expérience qui permet de dire que se prendre par la main est porteur de sens et qu'en donnant la main, nous faisons bien davantage que rendre possible ou permettre la domination de l'autre. Une fois pour toutes, les beaux couples ont réglé l'histoire du culte de la différence. Une fois pour toutes, les beaux couples ont compris qu'un couple ne s'approfondit pas dans la recherche de ses différences. Un beau couple approfondit ses ressemblances.

Un couple ne s'approfondit pas dans la recherche de ses différences. Un beau couple approfondit ses ressemblances.

Les couples qui traversent les portes du temps ont, dès la rencontre, écarté de leur chemin ce qui pouvait faire problème au départ. Constitués d'êtres stables, ils ont repéré les facteurs de stabilité nécessaires à leur bonheur dans la personne de l'être s'accordant avec eux. Voyons autour de quels critères cette stabilité peut se bâtir.

Les êtres qui sortent des mêmes milieux sociaux s'entendent mieux que les autres. Ils fonctionnent avec les mêmes codes d'éducation. Ils se reconnaissent inconsciemment[2] et reproduisent ensemble des modèles communs avec davantage d'évidence que des couples appartenant à des milieux sociaux différents. Ils auront davantage de goûts en commun, simplement parce que le goût est forgé par l'éducation[3], ils auront des définitions communes de ce que sont les belles choses[4], forgeront dans l'harmonie des projets d'éducation pour leurs enfants[5]. En fait, ces êtres semblent partager ce que Pierre Bourdieu appelle un « habitus », un « éthos » et une « hexis » communs. Derrière des mots compliqués se cachent des réalités assez simples. Étant issus des mêmes univers psychosociologiques (habitus) de départ, les hommes et les femmes se comportent dans le groupe de la même manière (éthos) et leurs manières d'être mêmes montrent de nombreux points communs (hexis).

Les couples dont les deux partenaires évoluent dans le même domaine d'activités. Si les couples qui *naissent* dans les mêmes milieux n'ont pas à faire l'effort d'acquérir des codes de comportement de l'autre puisqu'ils les possèdent déjà, le fait de *vivre* et d'évoluer dans le même milieu socioprofessionnel permet un échange accru pour les couples qui s'aiment. Exerçant les mêmes types d'activités que l'autre, chacun comprend mieux ses difficultés et ressent davantage de compassion.

Prenons en exemple les couples de comédiens. Leur vie commune est rendue très difficile par les aléas d'emplois du temps de leur vie professionnelle. Mais les couples de comédiens vieillissent bien mieux ensemble si les deux partenaires vivent tous deux dans le monde du spectacle. Leurs rythmes de vie sont souvent particuliers, et la compréhension de l'autre est largement facilitée s'il rencontre les mêmes difficultés et vit les mêmes horaires atypiques.

Dans le monde du commerce et de l'artisanat aussi, les couples arrivent à se comprendre parce qu'ils partagent leurs difficultés. Travaillant ensemble, ils trouvent des horizons communs à leur vie.

Dans le secteur de l'agriculture, les hommes et les femmes traversent mieux les épreuves du temps s'ils évoluent tous les deux dans le milieu agricole. Aujourd'hui, dans le monde occidental, un des drames de ce métier est relié au fait que très souvent, un des deux époux est obligé de quitter l'exploitation pour apporter un revenu supplémentaire ; les couples se désunissent très souvent à ce moment précis. Ces couples-là n'étaient sans doute pas au départ des couples rares, mais ils montrent au moment de leur désunion que la proximité professionnelle est un des liens susceptibles d'accommoder ou de renforcer la relation.

Les exemples de la vie du petit commerce ou de la vie agricole ne doivent pourtant pas faire naître une ambiguïté. De nombreux hommes et femmes excluent complètement de travailler avec leur conjoint ou conjointe et ils ont sans doute raison. Davantage que la proximité physique dans le travail, c'est le fait de travailler dans le même champ d'activités qui permet de mieux comprendre l'autre. À cet égard, les comédiens sont l'exemple même d'hommes et de femmes qui travaillent très souvent loin l'un de l'autre.

Bien évidemment, le fait de naître, de vivre ou d'évoluer dans le même milieu ne permet pas à lui seul de fonder un couple complètement équilibré, un couple rare, mais il y contribue, parce qu'il facilite la compassion et l'empathie entre deux êtres partageant les mêmes rythmes et comprenant les mêmes codes implicites. Deux êtres qui ont donc moins d'efforts à faire et peuvent se comprendre intuitivement. Aussi importante et même plus importante encore, la ressemblance psychologique est un facteur essentiel pour l'association sereine de deux êtres humains.

La ressemblance psychologique de deux êtres plaide également en faveur de la stabilité de la relation amoureuse. Les êtres dont les comportements psychologiques sont congruents et qui réagissent de manière similaire aux difficultés vivent généralement des relations amoureuses plus stables et harmonieuses. Là encore, des études diverses l'attestent[6].

Le terme de *ressemblance* est bien ici utilisé à dessein. Dans les couples harmonieux, les êtres finissent par se ressembler physiquement. Au fil des ans, leurs traits psychologiques prennent la même patine et ils se fabriquent une carapace de connivence commune. L'effet miroir produit par la proximité constante de l'autre crée une inclination et une adaptation mimétique inconsciente. À travers l'homme ou la femme qui compte tant pour nous, nous pouvons d'ailleurs observer aussi bien l'effet de nos propres réactions que la projection de nos désirs. Diverses techniques psychothérapeutiques ou comportementalistes n'hésitent pas à utiliser l'effet miroir afin de produire l'empathie nécessaire à la compréhension de l'autre[7].

Précisons qu'un double effet conjonctif travaille à la ressemblance de ces couples. C'est la projection de l'entourage qui crée le «joli petit couple» lorsque les êtres se ressemblent. Les amoureux bénéficient ainsi d'un effet de ressemblance. Parce qu'ils se ressemblent, ils semblent bien assortis et inclinent à penser que «qui se ressemble s'assemble». Les projections de l'entourage ont toujours pour effet de renforcer les couples rares dans la mesure où ils se ressemblent. À l'inverse, deux êtres qui entendent leurs amis dire systématiquement dans leur dos «Ils ne sont vraiment pas bien assortis» ou «Je me demande comment ils font pour vivre ensemble» vivent, eux la situation inverse.

Les êtres qui sont bien assortis se ressemblent davantage physiquement. Des études très sérieuses ont notamment été réalisées dans des agences de rencontres démontrant que les hommes et les femmes qui parviennent à organiser une relation stable se ressemblent physiquement davantage que d'autres couples[8].

Certains pourraient trouver surprenante la ressemblance proprement physique des membres des couples harmonieux. En réalité, il n'y a rien là de plus logique. L'empathie, définie comme la capacité à éprouver les émotions vécues par son partenaire, est forte lorsque les êtres s'aiment. Or, l'expression des émotions est universelle[9]. Les visages modelés par les mêmes émotions finissent par se ressembler. Les traits des beaux couples suivent en cela la pente naturelle de leurs expressions communes, reflets de la communauté de leurs émotions. Les mimiques finissent par s'épouser et les traits par trouver, à travers le chemin conjoint des rides, la voie des mimétismes du cœur[10].

D'ailleurs, selon d'autres chercheurs, les traits qui nous permettent de désigner la beauté chez un être humain sont équilibrés, mais surtout les traits «communs» sont communs à la population de référence. L'imagerie informatique nous permet en effet de fabriquer des portraits robots très élaborés à partir de visages différents, et nous aide ainsi à comprendre que la personne la plus belle serait celle qui ressemblerait le plus à la moyenne des personnes rencontrées dans son propre milieu écologique. Selon le même mécanisme, les êtres que nous rencontrons tous les jours finissent par nous sembler plus beaux que ce que nous avions perçu au départ[11]. Et ce phénomène se renforce d'autant plus que nous les apprécions. Cet effet, une fois connu, a été abondamment utilisé dans les campagnes publicitaires. Les hommes et femmes de marketing pensent en effet qu'à force de voir tel ou tel produit moyen décliner régulièrement, ce dernier va finir par nous sembler familier, plus proche de nous, et que nous allons finir par le convoiter.

L'apparence vestimentaire permet également à deux êtres de se modeler et d'afficher une ressemblance commune. Nous savons tout cela intuitivement en mesurant à quel point il est difficile d'entrer dans l'ambiance d'une soirée lorsque notre tenue vestimentaire est vraiment trop éloignée de celle des êtres qui nous entourent. Nous avons davantage de chances d'être accepté lorsque, par notre tenue vestimentaire, nous ressemblons aux gens que nous rencontrons[12]. Les gens qui s'habillent ensemble trouvent des lignes de vêtements dans lesquelles ils se retrouvent et transfèrent leur amour dans ces codes partagés.

Les enfants et les adolescents sont encore plus sensibles que les adultes aux codes «claniques» de l'habillement. L'adolescence est par excellence l'âge de l'opposition, notamment de l'opposition aux modèles vestimentaires parentaux. Or, que font les adolescents? Avec l'affirmation de modèles vestimentaires différents, ils s'opposent à la génération avec laquelle ils désirent rompre. Pourtant, au-delà de l'œdipe générationnel, comme tout être humain, ils sont à la recherche intuitive du «même», à travers d'autres adolescents auxquels ils cherchent à ressembler pour fonder avec eux leur propre identité, leur nouveau clan.

> *Les couples accomplis ne vivent pas leur harmonie*
> *(sauf exception toujours possible)*
> *dans la tension des contraires*
> *et la résolution des oppositions.*
>
> *C'est au contraire le ciment de leurs ressemblances qui leur permet de se retrouver dans les moments difficiles.*

Les couples qui se ressemblent parviennent donc à sortir du rapport dominant/dominé, si néfaste à l'amour. Comme ils se ressemblent, ils se comprennent et n'éprouvent pas le besoin de montrer à l'autre l'existence de leur propre pouvoir sur lui ou sur elle. Ils peuvent entrer en situation d'accord total, sans pour autant désinvestir leur personnalité propre, précisément parce que leur relation est équilibrée. Les couples rares nous apprennent donc une chose: s'aimer, c'est se retrouver dans l'autre.

> *S'aimer, c'est se retrouver dans l'autre.*

L'autre n'est pas la part de soi qui manque. L'autre est plutôt reconnu comme un autre soi. Quelqu'un qui comprend les choses sans qu'elles aient besoin d'être dites. Quelqu'un dans les bras de qui on peut se laisser aller complètement, sans se sentir coupé de ses repères. À partir de là, aimer l'autre permet à chacun d'aller plus avant en lui-même afin d'acquérir davantage d'équilibre et d'approfondir la relation.

Les couples rares sont des couples formés par des êtres libres

Les couples les plus équilibrés seront constitués de deux êtres équilibrés. Mais dépassons la lapalissade. La personne équilibrée sera davantage capable de mesurer l'équilibre de l'être aimé que celle qui a perdu ses repères. Or, un être équilibré est d'abord sans doute un être libre, un être qui n'est pas dupe de ses conditionnements.

La dénomination «couple rare» a été élaborée parce que dans la rue, un couple sur sept[13] semblait ne pas être conditionné dans son rapport. Les couples rares ne se protègent pas et ne s'étouffent pas. Les couples rares sont formés par des êtres libres.

Essayons de comprendre comment les êtres humains se définissent par rapport à la liberté à d'autres occasions. Si un couple sur sept est un couple libre et si, à d'autres occasions, les êtres traduisent un comportement d'êtres libres dans les mêmes proportions, ce sera alors le signe qu'un être libre est un être libre, quoi qu'il fasse. Un être serait libre dans son couple comme il est libre dans la vie. Comparons donc la liberté amoureuse envisagée sous l'angle de son non-conditionnement à d'autres situations dans lesquelles les êtres humains ont pu désirer rejeter leurs conditionnements pour affirmer leur comportement d'êtres libres. Certaines guerres constituent paradoxalement de magnifiques exemples d'affirmation de la liberté. Prenons pour exemple l'attitude des Français dans la France occupée, privée de liberté durant la dernière guerre mondiale. Si l'on considère que dans la France envahie, l'acte de liberté consistait à participer d'une manière ou d'une autre aux actes de résistance, nous nous apercevons que moins de 3% des Français ont participé de près et même de loin à ce type d'actes d'êtres libres[14].

Les gens lucides au comportement exemplaire, profondément équilibré, les gens susceptibles d'être suffisamment empathiques dans le malheur pour oser prendre la défense des autres en «agissant avec les autres comme ils voudraient que les autres agissent pour eux» ne sont sans doute pas beaucoup plus nombreux. D'autres exemples empruntés à d'autres conflits ou même des actes de la vie quotidienne montrent que généralement, les gens soucieux d'autrui et prêts à montrer leur détermination d'êtres libres sont toujours très peu nombreux lorsqu'ils sont opposés au camp ou à l'opinion majoritaire[15].

Est-il bien pertinent maintenant de placer sur un même plan la liberté face au conditionnement amoureux et la liberté de refuser les conditionnements historiques? L'amour est un comportement comme un autre qui met en scène des êtres socialisés. Agapè est cette part d'amour ouverte sur les autres qui donne envie de porter secours, d'aider, de ne pas laisser la souffrance s'installer. Dans ces situations très contextualisées, se comporter comme un être rare, c'est refuser les conditionnements qui porteraient plutôt à se taire, à laisser faire. Que la réflexion soit sociale ou amoureuse ne change rien à sa portée.

Un être est plutôt conscient et lucide ou plutôt craintif et conditionné. Les êtres libres et a fortiori les couples libres sont donc d'autant plus beaux qu'ils égrènent une part de vérité pour les autres.

PEUT-ON SE DÉBARRASSER DU SYNDROME D'AMOUR POUR DEVENIR UN COUPLE RARE ?

Et si nous ne sommes pas des couples rares, si nous ne sommes pas de ces couples qui se sont rencontrés « comme par enchantement » et pour lesquels la reconnaissance, l'harmonie est une évidence, que devons-nous faire ? Pouvons-nous espérer devenir un couple rare[16] ?

Dans un couple qui aspire à devenir un couple rare, les deux conjoints peuvent ensemble faire un double travail. D'abord un travail sur soi, puis un travail sur son couple.

Les couples conditionnés, les couples qui souffrent du Syndrome d'amour voient se rencontrer des êtres qui manquent de confiance en eux et parce qu'ils manquent de confiance en eux, par effet de projection, ils manquent de confiance en l'autre. Ils connaissent alors « la crainte irraisonnée de perdre l'autre » qui peut les mener à s'étouffer mutuellement ou à se sauver avant d'être quittés.

Pour sortir de la crise du couple, un travail de reprise de confiance en soi, de reprise de confiance en l'autre est nécessaire. Pour ce faire, le couple doit travailler sur ses conditionnements.

Précisons ici que travailler sur un conditionnement consiste moins à s'en débarrasser qu'à le rendre apparent, car un conditionnement ne disparaît pas simplement parce que nous en avons décidé ainsi.

Lorsqu'un conditionnement apparaît, l'acceptation est la meilleure stratégie préalable

Devant toutes les difficultés de la vie, à partir du moment où nous décidons de les surmonter, il semble que deux options soient possibles, et pas une de plus.

- La première option consiste à chercher par la volonté à se débarrasser de ses difficultés en les affrontant par la volonté.
- La seconde option consiste à travailler à rendre toujours plus apparentes ses difficultés et à faire confiance à l'œuvre du temps.

Essayons de mesurer les effets de ces deux options possibles sur un sentiment aussi néfaste et destructeur pour le couple que peut l'être par exemple la jalousie.

La jalousie ne disparaît pas entre un homme et une femme parce qu'ils décident ensemble qu'elle devrait disparaître. La volonté ne peut rien contre la jalousie. La jalousie était là avant la prise de décision de la faire disparaître et elle continuera à exister après. La volonté, face à un sentiment négatif, consiste paradoxalement à le nier. La volonté a plutôt tendance à proposer de dépasser les difficultés qu'à permettre de travailler à leur compréhension. La personne jalouse a tendance à dire: «Je suis jalouse, mais je travaille dur pour que ça ne se voie pas et que l'autre n'ait pas à en souffrir.»

L'autre attitude en ce qui concerne sa propre jalousie consiste d'abord à la reconnaître pour s'en ouvrir ensuite dans le couple.

Dans les faits, il ne s'agira pas de dire à l'autre, mû par un acte de volonté:

- « Je ne serai plus jaloux », ce qui contribuerait à masquer son conditionnement, en l'assortissant d'un « je te le promets » absolument impossible à respecter.

Mais plutôt de dire en travaillant sur une prise de conscience :

- « Je suis jaloux et je ne le serai sans doute pas moins demain, mais je vais tâcher de ne pas te faire souffrir avec ma jalousie parce que je ne supporterais pas que tu me fasses les scènes que je te fais. »

Peu à peu, le Syndrome d'amour dont la jalousie est la traduction devrait aider à mieux faire comprendre à l'autre les difficultés vécues. Par effet d'empathie, les conditionnements finiront par paraître ridicules à la personne jalouse, simplement parce qu'ils seront ridicules pour l'autre.

En ce qui concerne la jalousie, les types de couples rencontrés dans la rue et définis au début de cet ouvrage semblent se désigner d'eux-mêmes. Leur travail sur la jalousie sera de nature différente.

- Le couple très dépendant.
  L'un des deux êtres est jaloux et l'autre, par ses attitudes provocantes, attise cette jalousie. Le meilleur moment de la vie du couple est celui de la réconciliation. La stratégie amoureuse semble très malsaine.

- Le couple dépendant.
  La jalousie est vécue par l'homme et la femme. En s'ouvrant l'un à l'autre, ils prennent conscience que le Syndrome d'amour est la difficulté majeure de leur couple. Ils veillent à ne pas faire souffrir l'autre en ne provoquant pas sa jalousie.

- Le couple légèrement conditionné.
  La jalousie est incompréhensible pour l'un des deux êtres parce qu'il ne fait rien pour provoquer cette jalousie. En travaillant sur lui-même, et en s'ouvrant à l'être qu'il aime sur ses états d'âme, l'être jaloux devrait pouvoir vaincre cette facette du Syndrome d'amour.

- Le couple rare.
  Ni l'homme ni la femme de ce couple-là n'est jaloux parce que ni l'un ni l'autre ne contrôle l'autre. Et ensuite, parce qu'ils «agissent avec l'autre comme ils voudraient que l'autre agisse avec soi», ils n'infligent donc pas à l'autre les crises de jalousie qu'ils ne supporteraient pas qu'on leur inflige.

La pire stratégie consiste sans doute à croire qu'on peut se débarrasser d'un conditionnement en changeant de comportement. En agissant de la sorte, on ne fait que déplacer la difficulté. La meilleure stratégie consiste au contraire à rendre le conditionnement bien apparent, car il peut être plus facilement démythifié une fois qu'il est clairement identifié.

Dans la rue

Le jour où l'homme sera capable dire à la femme :
- J'ai besoin de me tenir à ta gauche parce que dans cette position, tu sens ma protection et je te possède vraiment.

Et lorsque la femme sera capable de dire à l'homme :
- J'aime t'offrir ma chaleur parce qu'alors je sens ton désir de me posséder.

Ce jour-là, en riant de leur attitude de cloisonnement stupide et pourtant si humaine, ils se seront apporté la preuve qu'ils sont en train de devenir un couple rare.

À partir de nos conditionnements, nous bâtissons nos attitudes. Il faut donc travailler sur les ressorts qui sous-tendent ces attitudes en se posant les bonnes questions. Nos réponses à ces questions porteront en elles la signification de ces conditionnements et nous permettront de revenir jusqu'aux causes de notre Syndrome d'amour.

Reprenons l'exemple de la jalousie pour envisager ce que pourrait être un questionnement adéquat :

- Pourquoi suis-je jaloux ?
- Est-ce que c'est vraiment l'autre qui me rend jaloux ou n'est-ce pas plutôt moi qui me raconte des histoires tout seul ?
- Est-ce que je doute de l'amour de l'autre ?
- Ai-je des raisons de douter ?
- Pourquoi en suis-je arrivé là ?
- Qu'est-ce que je cherche à prouver avec cette relation ?
- Qu'est-ce que je montre à l'autre par ma jalousie ?
- Est-ce que j'ai peur de ne pas être à la hauteur ?
- Pourquoi ai-je peur de n'être pas à la hauteur ?
- Est-ce l'autre que j'aime ou le prestige d'être à son bras ?
- Qu'est-ce que je cherche à me prouver dans mon contrôle sur les faits et gestes de l'autre ?
- Quel effet ma jalousie produit-elle sur l'autre ?
- Est-ce que le fait d'être jaloux me rend plus heureux ?
- Est-ce que ma jalousie rend l'autre plus heureux ?
- Puis-je sortir de cette situation ?
- Si je parlais à l'autre de ma jalousie, comment prendrait-il ma volonté de dialogue ?
- Apprécierai-je que l'autre me parle s'il était à ma place ?
- Est-ce que je pense qu'une bonne qualité de dialogue est importante dans ma relation ?

Se poser les questions sincèrement permet d'y répondre sincèrement et de se donner ainsi sans doute les moyens de mettre en place une autre manière de se regarder, prélude à un autre rapport à l'autre.

> *Le Syndrome d'amour est apparu*
> *parce que les êtres sont conditionnés*
> *alors qu'ils pensaient être libres.*
>
> *Sortir de cette situation est impossible tant que*
> *nous n'aurons pas pris conscience de l'impact*
> *de nos conditionnements sur notre comportement amoureux*
> *et ne l'aurons pas admis vraiment.*

Touchés par le Syndrome d'amour, nous gardons une emprise sur toutes nos relations, mais tout ceci est somme toute très humain. Nous avons en revanche le devoir de nous ouvrir à cette réalité avec l'autre, pour mettre peu à peu en place des rapports moins toxiques avec l'être cher. Être intelligent en amour, c'est sans doute d'abord prendre conscience des limites de son couple, de ses difficultés à vivre avec l'autre, et c'est ensuite oser les exprimer ; mais il est toujours possible de s'enfermer dans une relation stérile en tentant de croire et de faire croire qu'elle est épanouissante.

Sept préceptes pour une relation amoureuse équilibrée

Au fil de l'ouvrage, sept facettes constitutives du Syndrome d'amour sont apparues, et elles ont permis de faire émerger des prises de conscience correspondantes. Un couple peut devenir rare à force de travail autour de ces sept facettes de la relation.

1) *Dans le couple rare, personne n'appartient à personne.*

   Dans le domaine de la relation amoureuse, la relation intime, exclusive semble faire croire à certains êtres que l'amour sensuel leur a donné des droits sur l'autre. La fidélité referme alors les êtres les uns sur les autres plutôt que de les ouvrir sur le monde. Mais cette fidélité est une fidélité de conditionnement, pas une fidélité du cœur. N'oublions pas que la personne amoureuse qui n'a pas confiance en l'autre manque en réalité de confiance en elle. Elle projette sur l'autre ses propres angoisses.

   Dans le domaine amoureux, lorsque nous cherchons à savoir où nous en sommes, les deux questions importantes que chacun devrait se poser sont «Qui suis-je?» et «Qui est l'autre?». Si nous inversons l'ordre des réponses et définissons nos besoins à partir des besoins de l'autre, nous montrons, par notre attitude, notre dépendance envers le Syndrome d'amour.

2) *Faisons attention à toujours aimer l'autre pour lui-même et non pour le prestige du couple.*

   Il peut arriver un jour où la stabilité, l'image du couple, le statut rattaché au fait de vivre avec un être soient autant de variables qui se substituent à l'amour ou deviennent plus importantes que lui. Le Syndrome d'amour s'est alors installé au cœur du couple avec toutes les attitudes conditionnées afférentes à cet état d'esprit.

3) *Dans le couple rare, chacun agit avec l'autre comme il voudrait que l'autre agisse avec lui.*

   Parce que chacun des deux êtres rares n'oublie jamais qu'il cherche d'abord et avant tout à être lui-même heureux, il tâche d'agir avec l'autre comme il voudrait que l'autre agisse avec lui. Cette prise de conscience est de nature individualiste. Chacun peut vraiment choisir d'entrer en relation ou non. La confiance en l'autre découle implicitement du respect de ce précepte. Nous n'agissons pas mal avec l'autre parce que nous ne comprendrions pas que l'autre agisse mal avec nous.

4) *Dans le couple rare, l'autre n'est pas responsable de ce qui m'arrive.*
   En vertu de la règle individualiste, il convient de ne rien attendre de l'autre, parce que l'on n'est jamais certain de pouvoir soi-même pourvoir à tous les besoins de l'autre. Nous aimerions beaucoup que l'être aimé ne nous rende pas responsable de ses malheurs ou de ses attentes déçues. Dans ces conditions, il n'y a pas de raisons de rendre l'autre responsable de ce qui peut nous arriver.

5) *Quand je ne comprends pas l'autre, je me mets à l'écoute de mon couple intérieur.*
   Il faut avoir confiance en soi et en la relation, précisément parce que le sexe de l'autre est présent dans notre cœur et dans notre cerveau. La sensibilité de l'autre genre sexuel nous a été transmise à travers le mécanisme de la parentèle. Si nous savons écouter, nous entendons l'autre parler de lui, parler d'elle à travers nos propres vibrations. Toutes les conditions semblent réunies pour que nous puissions comprendre l'homme ou la femme que nous aimons. Toutes les conditions semblent réunies pour que l'homme ou la femme que nous aimons nous comprenne.

6) *Aimer vraiment, c'est accepter l'autre comme il est, comme elle est.*
   Dans le domaine des relations humaines, «les mêmes causes ne produisent jamais les mêmes effets», l'autre

existe avec la pression de ses hormones et ses états d'âme. Il a le droit d'être différent aujourd'hui de ce qu'il était hier. Il a le droit d'avoir des attentes ou des besoins qui diffèrent d'un jour à l'autre. N'oublions pas que nous-mêmes avons également des états d'âme. Essayons donc de ne pas reprocher à l'autre ce qui peut très bien nous arriver à nous-mêmes. Essayons de ne pas oublier que l'être humain n'est pas un robot logique même si l'être humain s'efforce d'être le plus logique possible. Essayons de ne pas oublier que nous ne sommes pas nous-mêmes toujours logiques. Alors, plutôt que de vouloir changer l'autre, changeons peut-être simplement notre façon de le regarder. Apprenons à aimer l'autre comme il est, comme elle est. Nous sommes tellement heureux lorsque l'autre nous aime comme nous sommes.

7) *Sans renier l'expression de nos différences, approfondissons nos ressemblances.*
   Les différences ne rapprochent pas; elles demandent un effort que nous pouvons nous donner le droit de ne plus avoir envie de faire un jour ou l'autre. L'expression de la différence conduit à la tolérance et au respect, mais le respect n'est qu'une des trois faces de l'amour et ne peut suffire à nourrir le couple. Approfondir ses ressemblances semble beaucoup plus fondateur. Approfondir ses ressemblances permet de trouver des équilibres insoupçonnés et des rythmes concordants. Vivre avec l'autre permet de se retrouver en toute sérénité et d'approfondir la relation à soi-même. Agir avec l'autre comme nous voudrions que l'autre agisse avec soi devient alors tout à coup la voie de l'évidence.

Les 7 préceptes du couple rare

1) Dans le couple rare, personne n'appartient à personne.

2) Dans le couple rare, chacun agit avec l'autre comme il voudrait que l'autre agisse avec lui.

3) Dans le couple, l'autre n'est pas responsable de ce qui m'arrive.

4) Faisons attention à toujours aimer l'autre pour lui-même et non pour le prestige qu'il donne au couple.

5) Quand vous ne comprenez pas l'autre, mettez-vous à l'écoute de votre couple intérieur.

6) Aimer vraiment, c'est accepter l'autre comme il est, comme elle est.

7) Sans renier l'expression de nos différences, approfondissons nos ressemblances.

Un test placé juste avant les annexes de ce livre permettra au lecteur de déterminer s'il est atteint du Syndrome d'amour.

Conclusion

DE L'AMOUR À SON SYNDROME, EN UN TOUR D'HORIZON SYNOPTIQUE

Au terme de ce livre, nous comprenons mieux pourquoi dans la rue les hommes et les femmes éprouvent de manière si franche «la crainte irraisonnée de se perdre et cherchent inconsciemment à se rassurer en mettant une emprise plus forte sur la relation», bref pourquoi les hommes et les femmes, dès qu'ils se rapprochent amoureusement, se déplacent inconsciemment et presque systématiquement, les hommes à la gauche des femmes et les femmes à la droite des hommes.

Si l'amour est sans doute lié au rapport humain depuis toujours, son syndrome est apparu un peu avant notre ère, avec l'apparition de couples fidèles et surtout avec l'acquisition des capacités symboliques indispensables pour se projeter ensemble dans le futur.

Mais au-delà de ces conditions techniques, pour que la passion naisse entre l'homme et la femme, il a fallu que leur rencontre devienne un enjeu. L'inconscient collectif relayé par les troubadours de la pensée, par les philosophes ou par les scientifiques a soufflé à l'homme et à la femme qu'ils ne pouvaient pas s'accomplir tant qu'ils n'auraient pas trouvé chacun la moitié qui leur manquait. Tout était dès lors mis en place pour que les hommes et les femmes se cherchent désespérément et qu'ils soient malheureux ensemble. Comment pourrais-je en effet m'accommoder de la personne qui vit à côté de moi, et me résoudre à penser qu'avec ses manques et ses insuffisances, elle soit, elle, vraiment cette autre moitié que je cherche depuis toujours?

En attendant, puisqu'une autre moitié est là, concrètement, il faut se livrer à son appropriation inconsciente mais méthodique, asseoir son pouvoir sur elle, posséder son corps et ses ressources psychologiques. Pour que l'accomplissement soit total, il s'agit également de construire avec cette personne un couple social, et de reproduire avec elle les modèles moraux ancestraux. Au cœur de l'amour, il semble donc bien y avoir un profond malentendu: prendre et recevoir sont clairement confondus. L'homme donne de l'amour: il pense que cela lui donne le droit de «prendre» l'autre alors qu'il devrait simplement «recevoir».

L'homme et la femme qui cessent de faire «l'amour avec» leur partenaire, pour faire «l'amour à» leur partenaire traduisent la même confusion, dans leur lapsus. Ils ont oublié que l'amour était un échange d'information sensuel et tendre entre deux êtres, que l'amour se fait «avec». Eux, ils réaffirment leur propriété. Actifs, ils font «l'amour à». *Recevoir* et *prendre* sont des attitudes qui expriment toute la différence entre l'amour et son syndrome.

Seulement, sous nos yeux, le pacte amoureux est en train de changer de nature. Le monde occidental entre dans une nouvelle ère. Pour la première fois, l'homme et la femme ont le droit et la capacité de vivre seuls. Ils peuvent donc se choisir librement! Ils sont confrontés à une prise de conscience nouvelle: l'autre n'est pas soi, l'autre ne nous appartient pas, nous n'avons plus le droit de «prendre» l'objet de nos vœux, comme par le passé. Pour s'aimer, il faut absolument à l'homme et à la femme concilier amour fusionnel, respect de l'intimité de l'autre et ouverture sur le monde. Ce sont les trois facettes de l'amour.

Chose extraordinaire, le garant le plus sûr de la rencontre amoureuse semble être l'individualisme et, suprême paradoxe, l'individualisme mieux que tout autre principe garantit au couple de fonder son harmonie sur la générosité. Mais c'est comme ça!

ULTIME QUESTION

Au terme de cet ouvrage, une question reste posée dont la résolution n'a pas trouvé de place dans le cadre défini au départ, même si plusieurs pistes ont été défrichées. Derrière l'optimisme et la croyance en l'existence de couples rares, ne sommes-nous pas condamnés à vivre davantage de solitudes, de rencontres brisées dans leur mouvement par le poids de nos conditionnements passés?

Une rencontre amoureuse réussie entre soi et l'autre, à l'écart de tout Syndrome d'amour, peut se concevoir à deux conditions. D'une part, il faut arrêter de s'opposer à l'autre sexe comme si les hommes et les femmes venaient de deux planètes différentes. D'autre part, il faut véritablement prendre conscience que l'ère individualiste dans laquelle nous sommes entrés est sans doute la grande chance du couple. Mais pour cela, il faut également prendre toute la mesure du chemin déjà parcouru en si peu de temps par les sexes dans la voie du déconditionnement amoureux.

Depuis ce premier printemps si lointain, il y a 80 000 ans et peut-être davantage, il était devenu légitime de se demander si l'homme marchait simplement à la gauche de la femme, la femme simplement à la droite de l'homme, et si le conditionnement n'était pas devenu carrément un enracinement! Cinquante ans de transformation des mentalités et de modes de vie ont suffi à nous montrer qu'il n'en était rien.

Le propre d'un conditionnement est d'être vraiment efficace dans sa part d'ombre. Une fois pointé du doigt, exposé en pleine lumière, il ne peut plus œuvrer et le mouvement de déconditionnement est alors enclenché. C'est ce que nous avons modestement tenté de faire ici, après d'autres, en disant «bas les masques», descendons dans la rue encore une fois, apprenons à regarder en pleine lumière notre conditionnement du cœur pour qu'il cesse de nuire à la beauté du couple possible. Le stéthoscope statistique nous a permis de cerner avec précision le Syndrome d'amour et de mesurer toute sa toxicité.

Le Syndrome d'amour est né il y a si longtemps que 50 années de prise de conscience de la nature de la relation amoureuse ne permettront pas d'effacer d'un coup de baguette magique nos conditionnements successifs. En même temps, ce livre veut apporter une pierre de plus dans un dialogue plaidant pour la croyance en un homme différent, une femme différente. Dans ce domaine, et c'est le paradoxe d'une fin de livre, il s'agit d'ailleurs sans doute de faire table rase de ce que nous savons. Et ce, afin d'oser être des hommes et des femmes qui, riches de toute la force de leur couple intérieur, mettent ensemble davantage d'androgynie, de gynandrie dans le rapport amoureux et social.

Oser un rapport différent, c'est oser se saisir de la liberté de faire confiance à l'autre, complètement, réellement, avec la même ferveur que nous apprécions la confiance que l'autre nous accorde, lorsque l'autre l'ose. Car l'existence du Syndrome d'amour nous montre que c'est avant tout d'un manque de confiance réciproque que semble souffrir le couple. C'est d'ailleurs également sans doute pour cela que toujours davantage d'hommes et de femmes vivent seuls, certains choisissant ainsi de ne plus se trouver à la merci de la contrainte ou de l'enfermement qu'ils ont vécu, lorsqu'ils ne l'ont pas fait vivre à l'être qu'ils aimaient.

Dans les couples rares, les couples les plus équilibrés peu nombreux mais rayonnants, l'homme ne marche pas à la gauche de la femme, la femme ne marche pas à la droite de l'homme. La «systématicité» a été abolie en même temps que le rapport de pouvoir inconscient au sein du couple. L'homme et la femme ne se retrouvent plus en situation de prise de pouvoir l'un sur l'autre. Ils ne se trouvent pas non plus en situation de prise de distance l'un vis-à-vis de l'autre. Habités par un mouvement conjoint, ils vivent dans l'harmonie un rapport intime qui est la reproduction, sur le terrain du cœur, de leur rapport social. Certains couples plus respectueux et plus équilibrés ont compris avant les autres que chaque être était une totalité en soi. Plus libres dans leur comportement, ils savent qu'aimer c'est donner, et que c'est la condition nécessaire pour recevoir. Partageant un univers de valeurs communes, ils renforcent ensemble, en s'aimant, leur identité individuelle.

Ces êtres humains se sont peut-être reconnus «dès le premier regard» et le rapport s'est alors mis en place «comme par enchantement». Mais il est plus probable qu'ils aient laissé au contraire transparaître les tensions qui les animaient, qu'ils les aient rendues bien visibles et qu'ils aient travaillé dans leur couple à la résolution de ces tensions, sans précipitation, avec authenticité. Ces couples rares sont les couples de demain. Aujourd'hui, ils sont peu nombreux, mais il appartient à chacun d'entre nous de fonder nous aussi un couple rare. Pour y parvenir, la règle est simple: agissons avec l'autre comme nous aimerions que l'autre agisse avec nous. De la sorte, nous réussirons à mettre en place ce que chacun pourrait vivre comme un projet pour son couple: un nouveau pacte amoureux.

S'il est parcouru à deux en arpent amoureux,
le chemin poursuivi pour rencontrer son couple rare
est divisé par deux.
La prise de conscience intime de son couple intérieur
divise encore de moitié
le chemin nécessaire à se rencontrer.

Il arrive donc que certains jours,
depuis les bras de l'autre,
s'élève la sensation douce
d'être presque arrivé.

Notes

Chapitre 1

1. John Gray, mais également Barbara et Allan Pease. Leurs thèses se recoupent et ces auteurs réunis ont vendu ensemble plus de 20 millions de livres dans le monde. Ils sont aujourd'hui les stars de la différence entre les hommes et les femmes comme vecteur d'explication de leur si difficile entente.
2. Gray, John, *Les hommes viennent de Mars, les femmes de Vénus,* Paris, Éditions J'ai Lu, 7133.
3. Le dernier ouvrage en date soutenant que nos différences biologiques expliqueraient nos différences psychologiques est l'œuvre du psychologue québécois Yvon Dallaire: *Homme et fier de l'être.* Cet ouvrage a l'originalité de son tour de passe-passe théorique, celui de nous convaincre que le sexe masculin est le sexe faible, le sexe brimé et ce depuis toujours (!).
4. Pease, Allan, *Pourquoi les hommes n'écoutent jamais rien et pourquoi les femmes ne savent pas lire les cartes routières,* Paris, First, 2001, 427 pages.
5. Et notamment, de manière assez exhaustive dans ce domaine: Foucault, Michel, *Histoire de la sexualité,* Paris, Gallimard, 1984.
6. «Un homme qui partait au combat sous un soleil de plomb ou arpentait seul la forêt muni d'un simple arc par un froid glacial avait tout intérêt à oublier ses sentiments. Pour s'adapter à ces conditions de vie extrêmement rudes, nos ancêtres mâles se sont peu à peu désensibilisés. Cette évolution est particulièrement évidente si l'on compare la peau d'un homme à celle d'une femme: la seconde est 10 fois plus sensible que la première.» Gray, John, *Mars et Vénus sous la couette,* Paris, Éditions J'ai Lu, 2000, p. 28.

7. Gray, John, *Mars et Vénus sous la couette, op. cit.* Mais la plus brillante idée est sans aucun doute dans le titre même du paragraphe. Nous vous en laissons juger: *Les hommes ont besoin de sexe pour éprouver des sensations.*
8. Cf. Jean Denis Vincent, *Biologie des passions*, Paris, Éditions Odile Jacob, 1986, p. 286.
9. Cf. Vague et Favier, G., «Hormones sexuelles et homosexualité» in *Hormones et sexualité*, Paris, L'expansion scientifique française, Problèmes actuels d'endocrinologie et de nutrition, 21, 1977.

Chapitre 2

1. En ce sens, ce livre s'inscrit dans le prolongement exact de mon ouvrage précédent: *La Synergologie*, Éditions de l'Homme, Montréal, 2000, 315 pages.
2. Selon Edward Hall notamment, mais également selon Irving Goffman dans son approche centrée sur l'interactionnisme symbolique.
3. À mesure que les hommes et les femmes se rapprochent, ils démontrent une logique qui diffère de la conformité quand elle est définie par le hasard. Pour une présentation approfondie des statistiques, voir annexe 1.
4. C'est la même hypothèse d'école que lorsque l'homme ou la femme tiennent un enfant par la main: 71,5% des hommes et 73,9% des femmes prennent les enfants par la main droite. Donc, dans ces moments précis, l'enfant est très souvent tenu par la main droite de l'adulte, cette main étant sa main directrice, la main mue par la partie gauche du cerveau. Nous verrons toute l'importance du cerveau dans ce cadre. Ce qui se met en place ici au cœur de la relation est ancré très profondément dans notre cerveau. Se placer à la gauche ou à la droite de l'autre semble être tout, sauf l'effet du hasard. Se placer à la gauche ou à la droite de l'autre, c'est aussi et d'abord répondre aux prescriptions de son système cortical. Or, dans le système cortical, les émotions jouent un rôle fondamental. Et ce sont souvent elles qui aident à adopter l'attitude la plus juste.
5. Julia Kristeva écrit: «Il est évident pour peu que l'on ait observé le comportement des jeunes enfants que le premier objet amoureux des garçons et des filles est la mère.» Kristeva, Julia, *Histoires d'amour*, Paris, Folio Essais, 1985, p. 48.

Chapitre 3

1. Ce penchement significatif de la tête vers la droite a été observé dans des vidéos rapportant les témoignages de 751 sujets à qui était posée une même question: «*Qu'attendez-vous de la vie?*» Face à toutes les situations négatives ou de stress que les sujets espéraient ne jamais revivre, ces derniers s'exprimaient en situation de rétractation en penchant légèrement la tête à droite.
2. L'équipe du professeur Montagner, en travaillant sur la perception des odeurs spécifiques du bébé, montre l'importance, dès la naissance, du côté droit du corps dans toutes les situations d'action, que ce bébé soit garçon ou fille. Montagner, H., Schaal, B., «Étude expérimentale de la perception des odeurs spécifiques par le bébé», *Reprod, Nutr, Develop*, vol XX, 1980, pp. 843-848.
3. Bien évidemment, tout cela est proprement inconscient. Les gauchers en situation de stress semblent eux aussi mettre en avant la droite de leur corps. Entre eux, même si le bras le plus moteur est effectivement le bras gauche, il semble tout de même qu'en situation de vigilance et de contrôle, leurs réflexes de défense et de blocage se mettent bien en place au niveau des hémisphères, comme cela se passe chez le droitier.
4. La plupart des personnes, lorsqu'elles sont interrogées sur leur comportement spatial, réfléchissent avant de donner une réponse. Nous les voyons alors cligner des yeux, promener leur regard généralement en haut à gauche. Elles nous montrent ainsi qu'elles recherchent visuellement des situations où elles se sont promenées dans le passé avec leur conjoint ou leur conjointe. Généralement, elles se souviennent alors de deux ou trois situations et en concluent rapidement qu'elles se tiennent à droite ou à gauche parce que, dans ces situations, elles se tenaient à droite ou à gauche. Elles infèrent un raisonnement général à partir d'un fait particulier. Ici, au contraire, nous examinons une situation générale (20000 couples) pour en déduire un mode de raisonnement. Le raisonnement est hypothético-déductif.

   Enfin, pour revenir à ce qu'ont tendance à faire les personnes si nous les interrogeons, en genéral, elles ont fait abstraction du contexte dans lequel elles se promenaient, elles ont oublié de se demander s'il y avait des voitures ou si un phénomène particulier ne faisait pas qu'il devenait évident, «paquet à la main» ou «promenade à trois», qu'elles se tenaient comme elles se tenaient. Le caractère de l'observation invalide quelque raisonnement que ce soit si le contexte n'est pas pris en compte. La pré-étude faite à partir d'observations visuelles et de remarques nous avait permis de nous rendre compte de cela.

5. Précisons ici que dans le droit français, le mari n'est plus considéré comme le «chef de famille». L'égalité de l'homme et de la femme dans le couple date de 1965. En 1970, dans le code civil, le statut du «père de famille» tout-puissant est remplacé par la notion «d'autorité parentale». Notons que le chef se place généralement à gauche dans l'univers professionnel. C'est généralement toujours à gauche que se place la personne dont le rang hiérarchique est supérieur. Inconsciemment, ses collaborateurs se positionnent à sa droite, aussi bien lorsqu'ils se promènent dans la rue en sa compagnie que quand ils sont assis à côté de lui. Cette situation se répète également sur les podiums, puisque c'est toujours à la droite du champion que se place le dauphin.
6. «Lucy», découverte en 1974, a vraisemblablement entre 2,9 et 3,5 millions d'années. Elle est identifiée comme la première femme. En réalité, elle est recensée avec les australopithèques et semble avoir davantage de ressemblances avec le singe qu'avec l'homme. Le premier *Homo habilis* a été retrouvé dans le lac du Turkana; il pourrait avoir 1,7 million d'années.
7. *Homo erectus* est baptisé ainsi parce que l'être humain se redresse clairement.
8. Avec l'apparition du néo-cortex, les interactions sexuelles peuvent même se contredire. Dans certaines circonstances, certains hommes peuvent se montrer incapables de désirer physiquement leur partenaire tellement ils sont soucieux de lui procurer du plaisir. La pulsion amoureuse a alors complètement inhibé la pulsion sexuelle. L'amour a pris le pas sur le sexe à son détriment.
9. Cf. Montagner H., Schaal, B., *op. cit.*
10. Il y a des cas où un des membres du couple cherche absolument à garantir sa différence. Par exemple, une femme dominante dans le couple qui décide assez systématiquement de ce qui sera bon pour le couple et de ce qui ne le sera pas, va se tenir plus systématiquement à la gauche de son partenaire. Elle prend l'initiative et montre ainsi sa dominance par sa position dans l'espace. Dans de tels couples, l'homme peut être un «dominé naturel». Mais il arrive également que des hommes très dominants dans leur univers professionnel apprécient, une fois cet univers délaissé, être guidés par l'autre et vivre des situations de renversement du rapport qu'ils vivent sur le plan professionnel. De la sorte, l'homme dominant à l'extérieur de son foyer va abdiquer chez lui et s'incliner devant l'organisation féminine. Finalement, on peut dire que si la femme et l'homme n'alternent pas leurs positions dans l'espace, ils sont systématiquement dans la

même position par rapport à l'autre. La cristallisation de leur place dans l'espace montre alors qu'ils sont eux aussi victimes du Syndrome d'amour. Leur rapport amoureux n'est pas un rapport fluide. Il cache un rapport de forces sous-jacent. Et il y a Syndrome d'amour parce qu'ils sont ensemble, mais ne parviennent pas à s'aimer en toute liberté et en toute spontanéité. Ils existent en couple avant tout pour exister en couple.

11. Il faut noter évidemment qu'entre un Syndrome et certaines pathologies, un certain nombre de corrélations peuvent sans doute être établies et des liens clairement déterminés. Dans un autre horizon de sens, des travaux aussi différents que ceux de Guy Corneau, *La Guérison du cœur*, de Marie Lise Labonté, *Au cœur de notre corps*, ou encore de Claudia Rainville, *Métamédecine*, semblent constituer des références pertinentes, qui permettraient d'éclairer sous un autre jour le Syndrome d'amour.

Chapitre 4

1. Dans *Sur l'individualisme*, Ernst Gellner oppose la liberté d'indifférence à la liberté de l'écolier. Nous reprenons en grande partie cette distinction. Cf. Gellner, Esnst, dir., *L'ère de l'individualisme*, Paris, Presses de la FNSP, 1983.
2. Un ouvrage très intéressant sur les paradoxes de la raison a été écrit par Jon Elster sous le titre: *Ulysse et les sirènes, Essai sur les limites de la rationalité*, Paris, Éditions des P.U.G., 1983. Il reprend grandement les théories de l'école de Palo Alto, notamment pour ce qui concerne le *double bind* dans le champ de la science politique et des théories de la rationalité. Son ouvrage est très intéressant.
3. Louise Poissant exprime bien combien le doute peut à la fois renforcer un amour et contribuer à mettre en place des stratégies toxiques qui, loin de renforcer l'amour, rendent plus difficile l'engagement amoureux. Cf. Poissant, Louise, *Le paradoxe amoureux*, Montréal, Éditions Merlin, 1990, 236 pages.

Chapitre 5

1. Descartes avait bien pressenti le débat autour de l'arbitrage du cœur et il le décentre vers la glande pinéale.
2. Foucault, Michel, *Histoire de la folie à l'âge classique*, coll. Tel, Paris, Gallimard.
3. Descartes, René, *Discours de la méthode*, Paris.

4. Damasio, Antonio, *L'erreur de Descartes,* Paris, Éditions Odile Jacob, 1995, 358 pages.

5. Gazzaniga, Michel, Rich Ivry, Georges, Manguin, R. *Neurosciences cognitives. La biologie de l'esprit,* De Boeck, Université, 2001.

6. Daniel Goleman, qui a contribué à populariser le concept d'intelligence émotionnelle, n'hésite pas à parler de cerveau émotionnel. Mais il montre également que les émotions peuvent conduire à court terme à prendre des décisions négatives regrettables, notamment pour répondre impulsivement à toutes les conduites permettant d'évacuer la colère. Il montre d'ailleurs le rôle central de l'amygdale dans ce cadre. Antonio Damasio (*L'erreur de Descartes*, op. cit.), sans se heurter aux théories de Daniel Goleman (*L'intelligence émotionnelle*, Paris, Robert Laffont, 1997), incite à penser que d'autres types d'arbitrage plus fins réalisés parce que l'être humain prendrait en compte à un niveau profond certaines valeurs humaines permettraient d'échapper aux mécanismes de conduites aversives. L'être humain disposerait d'une capacité inconsciente à hiérarchiser l'information pour échapper aux stratégies impulsives. C'est la capacité humaine à hiérarchiser instantanément pour comprendre, telle qu'elle est évoquée par Damasio, qui nous conduit à penser que le concept de cœur prend en compte l'environnement plus largement que celui de cerveau émotionnel. Même si nous en convenons, le cœur est un concept-métaphore et l'arbitrage se situe bien évidemment au niveau du cerveau. Pour être plus précis encore, si nous suivons Antonio Damasio (*Le sentiment même de soi*, Paris, Éditions Odile Jacob) jusqu'au « cœur » de ses concepts, le corps par ce qu'il ressent interagit grandement avec le cerveau. De fait, le concept de conscience, dont le siège serait dans le cerveau, devient beaucoup plus flou. L'auteur nous explique que la conscience serait beaucoup plus fugace et alternerait d'états en états bien davantage que ce que nous sommes tentés de penser.

7. Dans *La conscience expliquée* (Paris, Odile Jacob, 1994), Daniel Dennett développe cette théorie qui voudrait que les mécanismes de la conscience ne soient pas uniques. Pour lui, la conscience n'existe pas. Il convient de lui substituer divers états subjectifs qui sont organisés pour donner ensuite l'illusion rétrospective d'une conscience unifiée. Le moi ne serait plus situé dans un point ou un autre du cerveau. Il serait plutôt un flux d'éléments de conscience. C'est dans le même horizon de sens que travaille Antonio Damasio avec *Le sentiment même de soi, op. cit.*

8. Cet exemple est tiré du remarquable livre de Michel Gazzanigga, *Le cerveau social*, coll. Opus, Paris, Éditions Odile Jacob, 1996, 286 pages.
9. Gazzanigga, Michel, *Le cerveau social, op. cit.*, p. 226.
10. Cf. Gazzanigga, Michel, *Le cerveau social, op. cit.*

Chapitre 6

1. Si nous opérons ainsi et opposons la «puissance sexuelle des dominants à une autre catégorie, c'est dans la volonté de répondre au critère scientifique de falsification tel qu'il a été déterminé par Karl Popper et l'école de Vienne. La méthode utilisée devrait permettre de valider le raisonnement général. Pour l'école de Vienne, affirmer une vérité ne signifie pas qu'elle soit vraie. En revanche, se mettre en condition de la falsifier lui permet d'acquérir le statut de vérité scientifique. La vérité scientifique diffère ainsi du dogme qui, lui, est infalsifiable (ex.: Dieu. Personne ne pourra prouver que «Dieu existe». Personne ne pourra d'ailleurs prouver le contraire, soit que «Dieu n'existe pas». Cette vérité est infalsifiable. Elle ne peut avoir le statut de vérité scientifique). Ici il ne suffit pas simplement de dire qu'il y a un rapport entre la sexualité intense et la dominance. Cette vérité est en partie infalsifiable, car il est très difficile de savoir si la position sociale modifie la production hormonale ou si la production hormonale modifie la position sociale, les deux thèses semblant pouvoir être défendues. Il s'agira donc de trouver des contre-exemples de gens entièrement dominés pour voir, après les avoirs observés, s'ils entretiennent un rapport à la sexualité inverse de celui des dominants. Et c'est dans la falsification du raisonnement que nous établissons le rapport entre la sexualité et le besoin de possession.
2. Les *enfants sauvages* sont définis par Julien Malson, professeur de psychologie sociale au Centre National de Beaumont (France), comme de «jeunes êtres que le sort a condamnés de vivre seuls et qui ont été longuement privés d'éducation». Malson, Lucien, *Les enfants sauvages*, coll. 10-18, Paris, Éditions U.G.E., 1983, 247 pages.
3. Imaginez un peu ce que serait un marché comme celui de l'automobile sans cette règle de transformation de capital économique en capital symbolique. De nombreuses voitures de marques dont tout le succès (donc le prix) tient au prestige seraient purement et simplement rayées du catalogue des constructeurs. Et ce, simplement parce qu'avec certaines voitures, le transfert est assuré de la voiture vers la personne qui la conduit. Le capital économique a permis d'acquérir un capital symbolique de prestige. Le champion toutes catégories de

ce type d'analyse est sans aucun doute Pierre Bourdieu. Il est le spécialiste incontesté de l'étude de la reproduction du capital sous ses diverses formes. À travers la revue *Les Actes de la Recherche en Sciences sociales*, il a abondamment démontré combien le prestige social né de la possession de capital économique permet de transformer ce capital en capital symbolique. Ces théories ont largement investi les champs de l'éducation, de l'art, et même le rapport hommes-femmes, cf. Bourdieu, Pierre, *La domination masculine*, Paris, Seuil, 1998. D'un point de vue théorique, il est utile de lire *Le sens pratique*, paru aux Éditions de Minuit en 1979. Tout le problème des théories de Pierre Bourdieu est que ce qu'il tend à démontrer est intégré au contenu même de ses démonstrations. Ces théories sont donc infalsifiables au sens où Karl Popper l'entendait.

4. Bourdieu, Pierre, *Questions de sociologie*, Paris, Éditions de Minuit, 1983.

5. Fleet, Richard, *La séduction, vérités et mensonges*, Montréal, Libre expression, 2000, 262 pages.

6. Richmond, V.P., McCroskey, J.-C., Payne, S.K., *Nonverbal Behavior in Interpersonal Relations*, 2e édition, Prentice Hall, Englewood Cliffs, New Jersey, 1991.

7. Bernstein, I.S., Rose, TR.M., Gordon, T.P., «Behavioral and Environmental Events Influencing Primal Testosterone Levels», *Human, Evol*, 1974, pp. 517-525.

8. Cf. Bateson, Gregory, *Pour une écologie de l'esprit*, coll. Point, réédition, Paris, Seuil, 1992, 2 tomes.

9. Pour tenter de décrire une société idéale, ce bel exemple a nourri un texte de fiction intitulé *Les êtres rares*, dans lequel j'ai tenté de montrer comment une société basée sur le don plutôt que sur la propriété pourrait instaurer des rapports totalement différents entre les êtres. Dans une telle société, si nous y réfléchissons bien, la violence n'aurait plus de raison d'être. Ce texte est paru chez VLB Éditeur en 2001.

10. Avec *Les enfants sauvages*, Julien Malson reprend la documentation existante sur les enfants abandonnés dans la nature et retrouvés auprès d'animaux. Dans un ouvrage très fouillé, il cite notamment à plusieurs reprises les précepteurs de ces enfants sauvages. Il renvoie à pas moins de 112 sources dont il donne les références détaillées.

11. Malson, Lucien, *op cit.* p. 54.

12. Itard, Jean-Marc Gaspard, *Rapports et mémoires sur le sauvage de l'Aveyron*, Paris, Alcan, 1894.

13. Notamment la vasopressine, cf. Bohus, B., « The influency of Pituary neuropeptides on sexual behavior», *Hormones et sexualité*, Paris, L'Expansion scientifique française, Problèmes actuels d'endocrinologie et de nutrition, 21, 1977.

Chapitre 7

1. La plus belle théorisation de l'inconscient collectif est sans aucun doute celle de Jung. C'est dans le rêve que l'inconscient collectif s'exprime selon lui le plus pleinement. L'inconscient collectif est, selon lui, « l'instance de la psyché commune à tous les individus. Elle est faite de la stratification des expériences millénaires de l'humanité. »
2. Platon, *Le Banquet*, Paris, Éditions Flammarion, réédition, 1964, 187 pages. Bien évidemment, il faut noter que Platon travaille à travers des propos rapportés, puisque quelque 100 ans séparent les deux hommes.
3. Discours d'Aristophane in Platon, *Le Banquet*, *op. cit.*, p. 16.
4. Notamment dans le chapitre 10.
5. Cette idée est développée notamment par Elisabeth Badinter dans *XY de l'identité masculine*, Paris, Éditions Odile Jacob, 1992.
6. Julia Kristeva écrit: « Il est évident pour peu que l'on ait observé le comportement des jeunes enfants que le premier objet amoureux des garçons et des filles est la mère. » *Histoires d'Amour*, coll. Essais, Paris, Folio, 1985, p. 48.
7. C'est à Sigmund Freud que l'on doit la première interprétation psychanalytique du mythe d'Œdipe, cf. notamment: « Lettres à Wilhelm Fliess » in *La Naissance de la psychanalyse*, trad., Paris, PUF, 1969.
8. Sur les rapports entre le pénis dur et la virilité, nous pouvons consulter utilement Etchegoyen, Alain, *Éloge de la féminité*, Paris, Seuil, 2000, 145 pages.
9. Wilhelm Reich a écrit un texte où, sur un ton métaphorique, il va au cœur de ces concepts: *Écoute petit homme*, Paris, Éditions Payot, 1974. Ce texte est un très beau texte, très « dur ».
10. Braconnier, Alain, *Le sexe des émotions*, Paris, Éditions Odile Jacob, 1996, 209 pages.
11. *Idem.*
12. Mallesta, C.Z., Culver, C., Tesman, Shepard, J. B., « The development of emotion, expression during the first two years life », *Monographs of the society for search in child development*, 50, 1-2, serial, 219, 1989.

13. C'est en tout cas la façon de lire l'empathie telle qu'elle nous est proposée par Alain Braconnier dans *Le sexe des émotions*. En psychothérapie, l'empathie est plutôt une technique qui, si elle permet de mieux lire les états internes du patient, ne doit cependant pas empêcher la prise de recul indispensable à la prescription thérapeutique.

14. Dans le rapport qui porte son nom, Shere Hite, après avoir enquêté auprès de 3000 femmes et tenté de comprendre à partir d'un questionnaire minutieux la nature de leur sexualité, écrit à propos de la reconnaissance de l'émotion amoureuse entre femmes: «*Les femmes peuvent avoir peur de croire (quand bien même elles le souhaiteraient) qu'une autre femme leur envoie des messages sexuels. S'ils venaient d'une autre source, leur intention ne prêterait à aucune confusion; mais comme ils viennent d'une source qui, dans le passé, était asexuelle, la réceptrice peut avoir tendance à douter des signaux les plus directs ou à leur donner une signification différente.*» *Le Rapport Hite*, Paris, Éditions Robert Laffont, 1977, 586 pages.

Chapitre 8

1. L'azouade se mêle souvent à une tradition comparable, le «charivari», bien connu des historiens des mentalités et dont la dénomination est restée dans la langue française, sous la forme d'un nom commun indiquant un grand vacarme.

2. L'azouade a été décrite par Jean Louis Flandrin, *Famille, parenté, maison, sexualité dans l'ancienne société*, Paris, Seuil, 1976.

3. Zeldin, Théodore, *Histoire des passions françaises* (5 volumes), t. 1. *Ambition et amour*, coll. Points, Histoire, Paris, Seuil, 1976, p. 318.

4. Institut français d'opinion publique, *Patterns of love and sex: a study of the french woman and her moral* (1961).

5. DVJ. Pelletan, *Le nouveau médecin des familles, Description raisonnée des maladies avec les moyens de les guérir*, rééd., Paris, C. Martin Éditeur, 1931.

6. *Le nouveau médecin des familles, Description raisonnée des maladies avec les moyens de les guérir, op. cit.*

7. *Le nouveau médecin des familles, Description raisonnée des maladies avec les moyens de les guérir, op. cit.*

8. Notamment, toute l'école sociobiologique qui légitimerait l'infidélité masculine comme une contrainte génétique liée à la nécessaire diversification des espèces. La femme au contraire voudrait garder un mari qui lui assure protection et sécurité. Le fondateur très connu de

cette théorie, Edward O. Wilson, est un homme. Il est vrai que dans ce domaine, on n'est jamais aussi bien servi que par soi-même.

Chapitre 9

1. En cela, l'amour libre se distingue de la liberté amoureuse. Avec l'amour libre, la possibilité est offerte au couple qui le désire de n'être plus exclusif et à chacun de ses membres de pouvoir avoir plusieurs partenaires amoureux. La liberté amoureuse est un peu différente puisqu'elle existe lorsque les deux êtres ne sont pas enfermés dans la relation. La qualité des jalons qu'ils mettent individuellement à leur relation doit théoriquement le permettre. À l'échelle institutionnelle qui est le propre d'une société, c'est la pratique du divorce qui en est la garante.
2. La formalisation et la définition de cette opposition sont dues à Louis Dumont, *Homo hierarchicus*, Paris, Gallimard.
3. En 1970, dans le code civil, le statut du « père de famille » tout-puissant est remplacé par la notion d'« autorité parentale ».
4. C'est ce que donne à penser un philosophe comme Gilles Lipovetski lorsqu'il écrit son essai sur l'individualisme contemporain qu'il appelle d'ailleurs *L'ère du vide* (coll. Essais, Paris, Gallimard, 1983, 246 pages). Il s'oppose en cela au mouvement de philosophes comme Luc Ferry ou Alain Renaut (*Histoire de la philosophie*, Paris, PUF, 3 tomes, 1983) pour qui au contraire la philosophie doit être pensée en prenant compte le retour à l'individu. Ils montrent notamment tout l'apport de Kant dans une construction de l'éthique fondée tout à fait rationnellement autour de l'individu.
5. Je ne voudrais pas dénigrer la pauvreté et la nécessaire solidarité entre les êtres. C'est d'ailleurs le paradoxe du monde occidental aujourd'hui, sa très grande disparité de richesses entre les riches très riches et les pauvres très pauvres. Il n'empêche que l'apparition d'une vaste classe moyenne est le phénomène marquant de ces 50 dernières années, et que cette classe moyenne sortie de la classe ouvrière a acquis une certaine indépendance de jugement. Ses caractéristiques de comportement sont assez largement individualistes. En sociologie, c'est Alexis de Tocqueville avec *Démocratie en Amérique* qui a sans doute, dès les premiers jours du XIXe siècle, déterminé ses caractéristiques avec une justesse de raisonnement assez impressionnante. Utilement, nous pouvons également lire Max Weber, *L'éthique protestante et l'esprit du capitalisme*.

6. Politiquement, le droit à la différence est né dans les pays européens portés par des mouvements de centre gauche. C'est le droit à la différence qui a permis à ces groupes de mener certaines luttes pour l'égalité des sexes, contre l'interruption volontaire de grossesse, et ce sont ces mêmes groupes sociaux qui fustigent l'individualisme en l'amalgamant au libéralisme économique et politique et parlent de lui comme d'un égoïsme ou narcissisme extrême.
7. Les théories de l'engagement montrent que plus un être choisit ce qu'il met en place et plus le choix qu'il fait l'engage. Un des plus éminents spécialistes de ces théories est sans aucun doute Léon Festinger. *The Human Legacy*, Columbia University Press, 1983.
8. En France, selon les statistiques de l'INSEE, le nombre de personnes qui vivent seules a doublé en 30 ans. *Notes et études documentaires,* juin 2001.

Chapitre 10

1. Platon, *Le Banquet, op. cit.*
2. À ce propos, il faut lire le roman de Pascale Clark où elle montre à travers ses personnages comment l'amour physique est devenu la norme unique. Elle montre surtout à quel point tout cela a peu de sens et peut être confondant pour des êtres seuls.
3. Aristote, *Éthique de Nicomaque,* trad. préf. et notes par J. Voiquin, rééd., 1984.
4. La dissociation de ces trois formes d'amour et cette forme de typologie sont empruntées à André Comte Sponville dans son *Traité des petites vertus, op. cit.* Elle nous semble plus pertinente et plus pragmatique pour le couple que la typologie platonicienne de l'amour en cinq liens prenant en compte la part de l'amour fraternel et de l'amour filial.
5. Kant, Emmanuel, *Fondements de la métaphysique des mœurs,* rééd. Paris, Vrin, 1980, 153 pages.

Chapitre 11

1. Le champion toutes catégories de la croyance populaire fondée comme explication scientifique est sans aucun doute John Gray, *Les hommes viennent de Mars, les femmes de Vénus, op.cit.*. Le succès de cette littérature vient du fait que, dans un langage accessible et compréhensible par tous, l'auteur légitime en partie la mésentente du couple, en dédouanant les hommes et les femmes de leurs responsabilités et

en imputant leurs responsabilités à leurs hormones. À la limite, cette littérature propose de dire : « Plus je suis un homme, plus j'ai du mal à comprendre la femme » et « Plus je suis une femme, plus j'ai du mal à comprendre l'homme ». Si, dans le cadre de cet ouvrage, nous nous sommes plusieurs fois élevé de manière véhémente contre ces théories, c'est parce que leur auteur ignore totalement le fait que nous ayons nous-mêmes, en nous, la part de l'autre sexe et qu'il occulte dans chacun de ses écrits la part des ressemblances biologiques, sociologiques, psychologiques qui existent entre l'homme et la femme. Il ignore aussi toute la part des conditionnements communs dont le Syndrome d'amour est d'ailleurs partie intégrante. À ce titre, ce type de lecture, derrière un vernis de modernité (l'éloge des différences), semble reprendre des thèses sociobiologiques assez rétrogrades, du type : « Nous sommes différents, parce que nos gènes le sont. » Il convient également de noter l'emprunt de cette métaphore à celui qui l'a présentée pour la première fois, C. G. Jung, dont John Gray oublie de mentionner l'identité.

2. Jung, Carl Gustav, *Les types psychologiques*, préface et traduction Yves Le Lay, Genève, Georg, 1964.

3. En France, par exemple, l'horaire télévisuel des programmes de début de soirée a reculé d'une demi-heure en l'espace de 25 ans, et il est apparu à la télévision la notion de deuxième partie de soirée autour de 22 h 45. Lorsque l'on sait qu'un membre de couple sur deux est encore devant la télévision à cette heure-là, il n'est pas difficile d'en conclure que l'heure des retrouvailles nocturnes sera effectivement… nocturne.

4. Ce concept a été fondé en 1920 par un psychologue américain : Edward Bradford Titchener. Par définition, l'empathie correspond à la faculté intuitive de se mettre à la place d'autrui, de ressentir ce qu'il ressent. En psychothérapie, les psychologues se sont emparés de l'empathie comme d'une technique. Ils ont contribué à faire évoluer sa définition, dans la mesure où la coupure praticien/patient implique une attitude de réserve qui s'accommode mal de la définition stricte de l'empathie. Pour un essai de compréhension plus complet des mécanismes de l'empathie tels que les décrit Titchener, voir le « Chapitre 7 : les racines de l'empathie », tiré de l'excellent et désormais célèbre livre de Daniel Goleman : *L'intelligence émotionnelle, op. cit.*

5. Rosenthal, Robert, « The PONS test : Measuring sensitivity to nonverbal cues » in P. McReynolds (dir.), *Advance in psychological assessment*, San Francisco, Jossey Bass, 1977.

6. Levenson, R. *et al* : « Volontary facial action generates emotion specific autonomous nervous system activity », in *Psychology*, 27, 1990.
7. Pour les questions relatives au rôle de la part de l'autre sexe en nous, nous pouvons lire utilement : Frances Wilkes, *Les émotions : une intelligence à cultiver*, Paris, Chrysalide, le Souffle d'or, 2000, 350 pages.
8. À cet égard, lorsque Voltaire exprime dans Candide qu'il « faut cultiver notre jardin », il ne dit pas une chose bien différente. Davantage que LaFontaine, Voltaire avec Candide exprime la nécessaire responsabilisation de l'être humain face à son destin. C'est cette forme de philosophie du sujet qui a fait toute la force du siècle des Lumières. Elle met l'homme au centre du mouvement des idées. Très modestement, tout le propos de ce livre répond à la même volonté de travailler et de révéler certains types de conditionnements afin de livrer les hommes et les femmes à leurs responsabilités l'un envers l'autre.
9. À travers l'élaboration d'un outil utilisé dans la gestion des ressources humaines en entreprise (cf. profilscan ®), l'annexe 2 montre comment les motivations des hommes et des femmes influent sur leurs comportements respectifs. À ce titre, les motivations interpersonnelles sont passées au crible. Elles diffèrent des motivations interindividuelles ou intersubjectives.
10. Borkovec, T.D., Stone, N., O'Brien, G., Kaloupek, D., « Identification and Measurement of a Clinically Relevant Target Behavior of Analogue Research », in *Behavior Therapy*, 5, (1995), pp. 503-505.
11. Fleet, Richard, *La séduction, vérités et mensonges*, Montréal, Libre expression, 2000, 262 pages.
12. Il faudra un jour se poser cette question : pourquoi est-il si « ringard » de dire que l'on aime la télévision ? Parce que dans la réalité, ne nous y trompons pas, c'est tout de même bien ce qui se passe.

Chapitre 12

1. Les couples amoureux semblent en cela se distinguer des relations de partenariat professionnel. Dans la vie de couple, plus les êtres se ressemblent, plus ils semblent être bien assortis, alors que dans la vie professionnelle, au contraire, plus les êtres sont différents et plus ils auront de capacités à se compléter.
2. Pierre Bourdieu explique que ces êtres vivent dans les mêmes habitus. Il définit l'habitus comme : « structure structurée prédisposée à fonctionner comme structure structurante » (*Le sens pratique, op. cit.*).

En fait, il s'agit du conditionnement psychosociologique de départ, imparable, qui consiste à se comporter comme sa classe sociale d'origine porte à le faire. Les hommes et les femmes sortant des mêmes milieux sociaux auront davantage de points communs et de facilité à se comprendre. Ce concept est aussi intéressant qu'il est limité. Comme rien n'échappe à l'habitus, il devient un produit attrape-tout qui permet de tout expliquer. Il n'y a donc plus de responsabilité possible pour l'homme. Il est produit par son milieu et il reproduit ce dont il est issu. Même s'il refuse de reproduire un modèle, l'habitus explique encore que son attitude est produite par le modèle même. L'habitus aurait pu constituer un cadre à la libération de l'homme, et il est la preuve de son asservissement définitif à son milieu. L'outil est plus intéressant d'un point de vue intellectuel que d'un point de vue heuristique.

3. Bourdieu, Pierre, Darbel, Alain, *L'amour de l'art,* Paris, Éditions de Minuit, nouvelle éd. revue et augmentée, 1979, 251 pages.
4. Bourdieu, Pierre, *La reproduction,* Paris, Éditions de Minuit, 1970.
5. Bourdieu, Pierre, *La distinction,* Paris, Éditions de Minuit, 1979.
6. Caspi, A. et Harbener, E.S. «Continuity and change: Assortive Marriage and Consciency of Personality in Adulthood», *Journal of Personality and Social Psychology,* 58, 1990, pp. 250-258.
7. Paul Elkman a travaillé très sérieusement sur l'expression des émotions et leur reconnaissance, à partir de ses observations sur divers peuples, pour en conclure à la reconnaissance quasi universelle des émotions. Ainsi, le visage s'approprie l'émotion et celle-ci est reconnue (cf. Ekman. P, Friesen. W., *Manual for the facial action code,* Palo Alto, Consulting Psychologits Press, 1982). Nous pouvons très sérieusement penser que des êtres baignant ensemble dans le même univers finiront par se ressembler. Leurs rides empruntent les mêmes sinuosités, simplement parce qu'elles sont activées par les mêmes muscles rétractés et dilatés, chez les deux partenaires.
8. Cf. étude de Levenson déjà citée qui montre que les couples les plus empathiques et les plus susceptibles de décrire les émotions vécues par l'autre sont les couples dans lesquels le membre qui exprime les émotions de son conjoint ou de sa conjointe se met en état physiologique de les vivre, émotions qu'il décrit: transpiration, etc.
9. C'est le cas dans le domaine des méthodes comportementalistes de la Programmation neuro-linguisitique.

10. Folkes, V.S. «Forming relationships and the matching hypothesis», *Journal of Personality and Social Psychology*, bulletin, 1982, n° 8, pp. 631-636.

11. Kekenbosch, Christiane, *La mémoire et le langage*, Besançon, Nathan Université, 1994, 125 pages.

12. Richmond, V.P., McCroskey, J.-C., Payne, S.K., *Nonverbal Behavior in interpersonal Relations*, 2e édition, Prentice Hall, Englewood Cliffs, New Jersey, 1991.

13. Pour un retour détaillé sur les statistiques, revenir sur le chapitre 2.

14. Paxton, Robert, *La France de Vichy*, coll. Points Histoire, Paris, Seuil, 1980.

15. Dans *La tyrannie des petites décisions* (Paris, PUF, 1977), Thomas Schelling montre, à travers toute une série d'exemples, que les êtres qui contrarient une opinion majoritaire sont généralement toujours très peu nombreux.

16. La logique toute relative des statistiques voudrait que chacun des lecteurs de ce livre n'ait qu'une chance sur 14 de lire son histoire. À la p. 253, un test vous permettra d'ailleurs de vous demander si vous faites a priori partie des couples rares parce que vous avez réussi à éviter les écueils du Syndrome d'amour.

Test : Vivez-vous le Syndrome d'amour ?

Notez le nombre de fois où, spontanément,
vous auriez tendance à dire plutôt oui que non.

Si vous vivez seul(e), souvenez-vous de ce que vous avez déjà vécu ou alors projetez-vous dans le futur.

	Oui	Non
1) Durant les périodes de la vie où vous étiez seul(e), vous pensiez qu'il était vraiment important de vivre avec quelqu'un.	☐	☐
2) Au restaurant, vous avez tendance à demander ce que commande votre partenaire avant de vous décider à choisir.	☐	☐
3) Vous pensez que les gens qui vivent seuls sont plus malheureux que les autres.	☐	☐
4) Dans la rue, il vous semble que vous marchez systématiquement du même côté de la personne que vous accompagnez.	☐	☐
5) Vous pensez que la preuve d'amour suprême est la fidélité sexuelle.	☐	☐

	Oui	Non
6) Vous n'avez pas de jardin secret et vous dites tout à l'autre.	☐	☐
7) Votre partenaire dit de vous que vous êtes jaloux(se).	☐	☐
8) Si vous allez danser, même si vous ne le dites pas, vous supportez mal que l'on invite votre partenaire à danser.	☐	☐
9) Vous craignez la solitude.	☐	☐
10) Vous avez le sentiment de ne rien y pouvoir, mais vous rendez votre partenaire jaloux(se).	☐	☐
11) Si vous vous laissiez aller, vous auriez facilement tendance à inspecter l'agenda de votre partenaire.	☐	☐
12) Si deux de vos amis se quittent, vous avez généralement tendance à penser que celui qui a tort, c'est celui qui s'en va.	☐	☐
13) Vous êtes quelqu'un de passionné et vous ne comprenez pas que l'autre le soit moins que vous.	☐	☐
14) Vous cherchez toujours à savoir avec qui votre partenaire est au téléphone lorsqu'il communique.	☐	☐
15) Vous avez tendance à penser que lorsque l'on rencontre quelqu'un, c'est pour la vie.	☐	☐
16) Dans son couple, il est important de se dire absolument tout.	☐	☐
17) Vous avez le sentiment d'avoir toujours fait plus de compromis que vos partenaires amoureux.	☐	☐
18) Vous ne supportez (supporteriez) pas que, hors de votre présence, votre partenaire livre des anecdotes sur votre vie de couple à des amis.	☐	☐

19) Vous pensez qu'il est important de partager ses passions avec son partenaire. Oui ☐ Non ☐

20) Vous aimez connaître l'emploi du temps de votre partenaire pour les prochains jours. Oui ☐ Non ☐

21) Lorsque votre partenaire croise le regard d'inconnu(e)s, vous avez tendance à observer ses réactions. Oui ☐ Non ☐

22) Si vous n'êtes pas avec lui (elle), il est important pour vous de savoir avec qui votre partenaire déjeune. Oui ☐ Non ☐

23) Vous êtes d'une prévenance à toute épreuve pour l'autre. Oui ☐ Non ☐

24) Vous ne parvenez pas à vous endormir si votre partenaire est sorti le soir. Oui ☐ Non ☐

25) Vous avez tendance à organiser votre vie autour des centres d'intérêt de votre partenaire. Oui ☐ Non ☐

26) Vous concevez mal que votre partenaire sorte avec des amis sans vous. Oui ☐ Non ☐

27) Vous avez de la difficulté à comprendre que votre partenaire ait vécu des moments de grande joie ou de fête auxquels vous n'avez pas participé. Oui ☐ Non ☐

28) Le sujet de la confiance réciproque revient relativement souvent dans vos discussions de couple. Oui ☐ Non ☐

29) Vous avez des tendances à la « bouderie ». Oui ☐ Non ☐

30) Vous avez le sentiment d'être atteint par le syndrome d'amour. Oui ☐ Non ☐

RÉPONSES

Vous avez répondu oui 27 fois ou plus:

Le Syndrome d'amour empêche votre épanouissement individuel.

Vous avez répondu oui entre 26 et 22 fois:

Le Syndrome d'amour nuit clairement à votre épanouissement individuel. Si vous vivez en couple, il altère votre équilibre amoureux.

Vous avez répondu oui entre 21 et 17 fois:

Le Syndrome d'amour modifie en profondeur votre comportement et interfère dans vos rapports avec l'autre.Vous avez répondu oui entre 16 et 11 fois:

Vous manifestez plusieurs des tendances constitutives du Syndrome. Il faut travailler sur vos conditionnements.

Vous avez répondu oui entre 10 et 6 fois:

Vous montrez certaines tendances au conditionnement amoureux.

Vous avez répondu moins de 6 fois oui:

Vous avez su construire un équilibre qui vous épargne du Syndrome d'amour.

Note

Dans ce test, la manière de répondre aux questions est aussi importante que les résultats eux-mêmes.

Il peut permettre de rendre le lecteur plus conscient des mécanismes qui, jusque-là, fonctionnaient parfois de manière inconsciente.

Il peut, avec beaucoup d'à-propos, faire l'objet d'un échange dans le couple.

N'oublions pas en effet que les couples « rares » sont rares et que nous sommes pratiquement tous, plus ou moins, concernés par le Syndrome d'amour.

Annexe 1

LA MÉTHODE D'INVESTIGATION UTILISÉE

A. *Les choix méthodologiques*
B. *Les postures corporelles du couple*
C. *Les couples en chiffres*

A. Les choix méthodologiques

La pré-enquête

Une pré-enquête réalisée dans divers quartiers de Paris a permis, à partir de l'observation de 1 000 couples, de relever les biais possibles de l'analyse lorsqu'il s'agissait de couples. La circulation automobile, qui porte l'homme à se positionner plus largement du côté de la chaussée dès qu'il y a danger. Les paquets portés qui peuvent gêner le positionnement latéral de l'homme et de la femme. Il semble par contre que le sac à main ne modifie pas le positionnement des couples (88 % des femmes rencontrées portaient un sac à main).

Parmi les difficultés méthodologiques, il s'agissait d'abord de comprendre comment repérer un couple dans la rue.

Dans la rue, contrairement à de nombreuses idées reçues, le couple est aisément identifié. Le couple légitime se désigne avec assurance d'abord par le contact physique, ensuite par le lien tactile. Le non-couple n'entretient pas de lien physique. Par voie de conséquence, *le couple se distingue du non-couple par le lien tactile prolongé.*

Deux bons amis peuvent se tenir par la main, mais cette situation est très marginale. La culture occidentale proscrit le toucher, l'effleurement, la caresse, s'il n'y a pas de lien d'appartenance affective. Dans l'acte du toucher, l'homme et la femme permettent ou affirment leur appropriation l'un par l'autre. «*Toucher, c'est pas propre.*» Les enfants apprennent *à regarder et à ne pas toucher* ce qui ne leur appartient pas. Ce conditionnement est très profond chez l'être humain. À tel point que la mission du toucher est maintenant dévolue à des spécialistes. Le massage thérapeutique, le massage de confort se répandent à la vitesse où les êtres humains délaissent entre eux le lien du toucher pour le confier à des spécialistes. Par ailleurs, plus la proximité physique est grande, plus le couple désigne aux yeux des autres, et à lui-même, sa fusion amoureuse. Dans les sociétés occidentales, le contact physique prolongé désigne le couple.

La pré-enquête a été réalisée à partir d'une observation vidéo. Certaines séquences de l'enquête également. Le point de vue de l'observation rendait l'utilisation de la vidéo parfois difficile ou délicate dans un certain nombre de lieux. Le dépouillement de l'enquête a été réalisé grâce au dépouillement de la grille statistique élaborée grâce et à la suite de la pré-enquête.

Les choix méthodologiques définitifs

La plupart des lieux considérés sont des lieux touristiques. Nous sommes bien conscients que les lieux concernés, qu'ils soient des lieux de visite ou de villégiature, pouvaient être sources de biais. Car ils ne sont pas les lieux habituels du couple. C'est pourquoi ce livre ne porte pas sur le rapport traditionnel de l'homme vis-à-vis de la femme, mais sur son conditionnement amoureux. Il était pour nous important de montrer et de pouvoir mesurer l'évolution du rapport entre l'homme et la femme à mesure qu'ils se rapprochent physiquement. Il est en effet possible que, dans leur lieu familial ou professionnel, les couples se conduisent autrement, qu'ils soient moins proches. Mais ça ne peut en aucun cas invalider ce propos, car ce n'est pas ce qui est mesuré ici. Ce qui est mesuré ici est l'évolution du conditionnement à mesure que le couple se rapproche. Nous avons toutefois émis un postulat dont nous n'avons pas cru bon de démontrer la validité. Nous faisons l'hypothèse que plus l'homme et la femme se tiennent proches l'un de l'autre, plus ils sont amoureux. Nous convenons qu'il s'agit là d'un postulat, et non d'une vérité démontrée.

Ont été observés 20000 couples dans 21 villes européennes et d'Amérique du Nord. Soit 40000 personnes: Paris (4428), Lyon (1502), Marseille (1022), Lausanne (1078), Genève (1320), Londres (7158), Barcelone (2234), Bruxelles (4628), Vevey (814), Montreux (1024), Montréal (4410), Florence (1230), Québec (834), Strasbourg (626), Nice (810), Francfort (1242), Nancy (632), Cannes (1618), Saint-Paul de Vence (504) Rome (1636), Venise (1250).

Nous avons donc décidé :

1. De choisir des situations dans lesquelles la circulation ne puisse pas modifier la distribution spatiale, soit parce qu'il s'agira de places ou de rues piétonnières, soit parce que les trottoirs y sont très larges, soit parce que la circulation y est trop limitée pour induire un effet sur le positionnement des couples.
2. Les 1 000 premiers couples examinés n'ont pas été intégrés aux statistiques.
3. La situation climatique a été découpée entre : Beau temps, temps voilé, pluie et temps froid sans pluie. Aucune différence notable n'a été enregistrée selon le type de temps.
4. Le découpage du temps a été établi. L'enquête a été effectuée durant les années 1998, 1999, 2000, 2001. Le nombre de couples observés à l'heure a été de 37,3 entre 9 h et 23 h sans que les variations horaires ne nous aient semblé devoir être intégrées à l'étude, même si elles ont été consignées. Elles nous auraient demandé d'autres développements compliqués, et d'autres validations. Il semble toutefois que la situation hommes à gauche, femmes à droite soit légèrement moins importante le matin (–7 %) et plus forte le soir (+5 %) par rapport à la moyenne du jour. Nous avons décidé de ne pas prendre en compte cette remarque, qui aurait demandé d'autres validations encore, et d'autres recoupements encore.

B. Les postures corporelles du couple

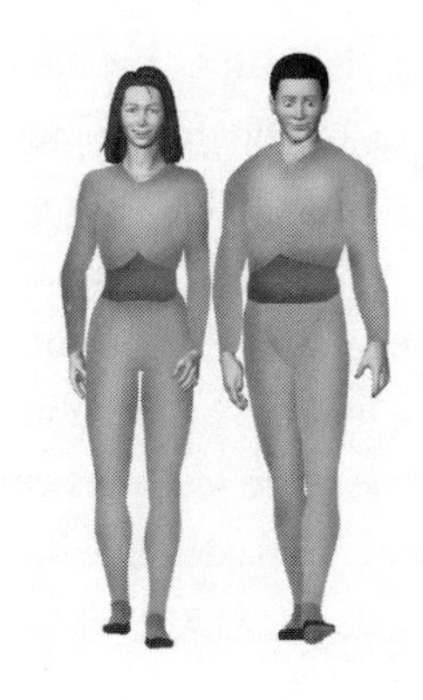

Les hommes et les femmes côte à côte

Un couple se promène seul dans la rue. Il est imperméable aux yeux des autres, illisible, commun et parfaitement anonyme. En revanche, si ce couple est observé parmi 20000 autres couples, tout à coup les manières de se tenir et d'être de chacun de ces hommes et femmes, observés les uns à côté des autres, amènent un autre regard sur le couple. De la sorte, lorsqu'un couple est observé au milieu de centaines d'autres couples, les stéréotypes les plus évidents apparaissent. *53,1 % des hommes se tiennent à la gauche des femmes, 46,9 % des femmes à la gauche des hommes.*

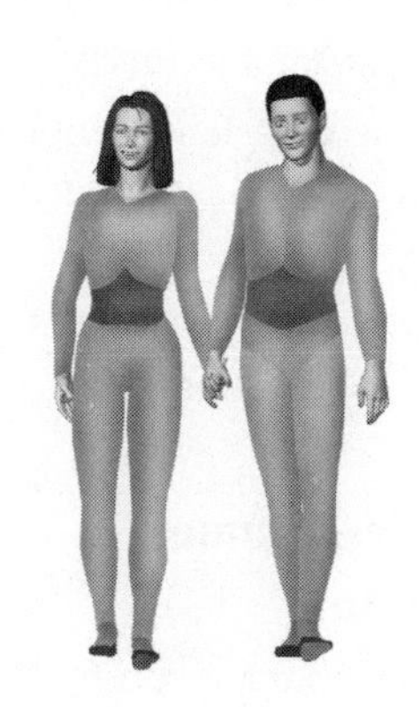

Les hommes et les femmes main dans la main

Dans cette situation, 57,5 % des hommes se tiennent à la gauche de la femme à qui ils tendent leur main droite. 42,5 % des femmes se tiennent dans la même attitude. Ensemble, hommes et femmes initient un mouvement émotionnel de rapprochement qui ne va pas cesser de s'amplifier et va s'accompagner d'un déplacement significatif dans l'espace. Ces 15 % d'êtres qui se trouvent positionnés l'un à côté de l'autre, sans raison apparente, donnent l'heure de l'amour humain. Le mouvement qui naît s'approfondit et, à mesure que le rapprochement physique devient plus intense, *l'homme se tient toujours plus à la gauche de la femme.*

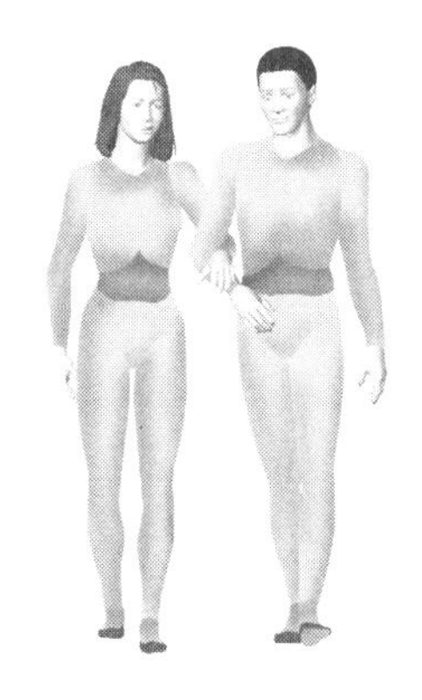

Les hommes et les femmes tenus par le bras

Traditionnellement, l'homme « prend » le bras de la femme qui lui « donne » le bras. Le bras tenu par l'autre, l'évolution du rapport entre l'homme et la femme se poursuit. Dans ce lien de proximité, les bras et les avant-bras de l'homme et de la femme se rencontrent et un lien d'effleurement, de rapprochement plus intense, de sensualité se dessine.

58,2 % des hommes se tiennent à la gauche des femmes. 41,9 % des femmes se tiennent dans la même attitude.

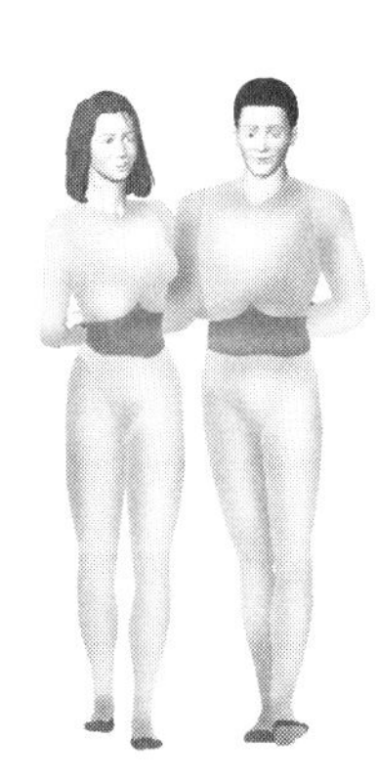

Les hommes et les femmes bras dessus bras dessous

60 % des hommes viennent bras dessus bras dessous se placer à la gauche de leur compagne. 40 % des femmes se placent à la gauche de leur compagnon. L'homme et la femme ont tous les deux placé leur bras contre le bras de l'autre, dans le dos.

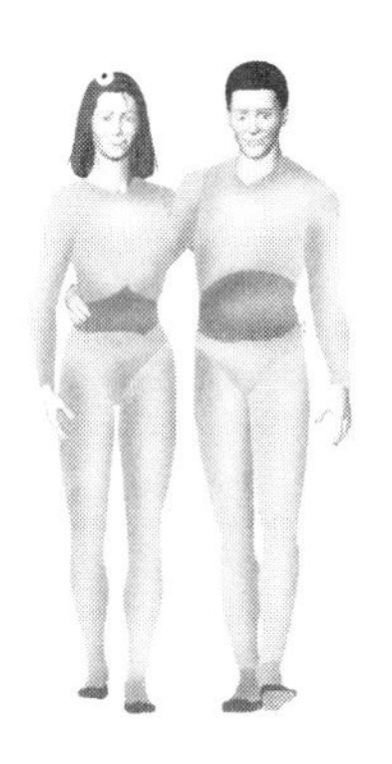

Les hommes et les femmes tenus par le bassin

Le besoin amoureux poursuit son travail de conditionnement en positionnant les corps dans l'espace selon sa logique claire : l'homme toujours plus à la gauche de la femme, la femme toujours plus à droite de l'homme.

64,2 % des hommes viennent prendre le bassin de leur compagne de leur bras droit. 35,8 % des femmes sont dans une attitude symétrique.

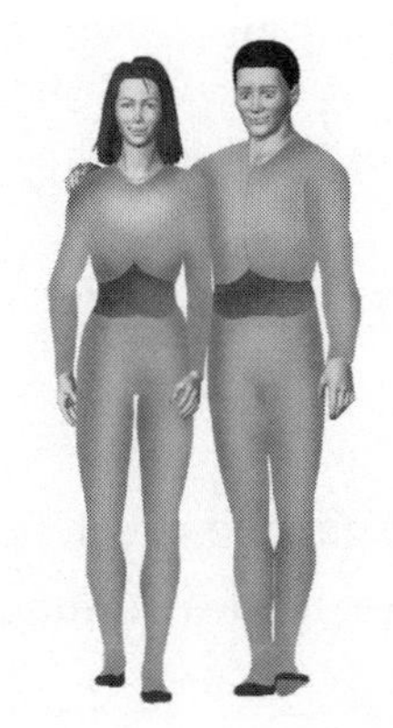

Les hommes et les femmes tenus par l'épaule

La main sur l'épaule de l'autre, l'un des deux membres du couple lui donne de la tendresse. Il lui propose sa chaleur d'un bras nonchalant et pourtant très présent. *67,2 % des hommes se tiennent à la gauche des femmes dont ils prennent l'épaule. Les femmes sont donc pour leur part 32,8 % à se placer dans la même position.* Ce geste est vraiment harmonieux lorsqu'il est effectué par le membre le plus grand du couple, homme ou femme. Par la force de la détermination génétique autant que par celle du conditionnement social, la personne la plus grande du couple est très souvent l'homme. Ce geste est donc devenu un geste de tendresse plus proprement masculin. Il est effectué à 87 % par les hommes et à 13 % par les femmes.

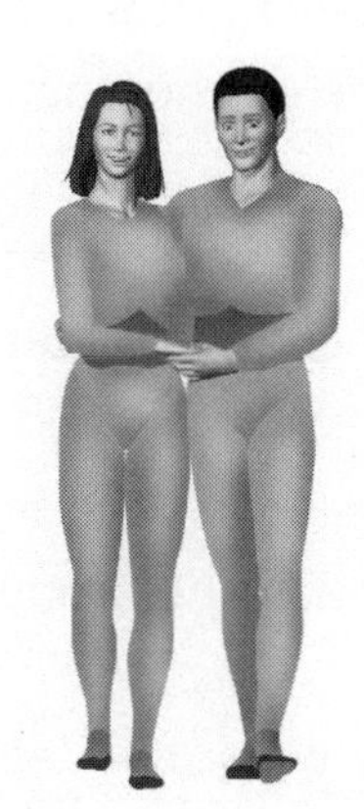

Les hommes et les femmes enlacés

L'enlacement est la position la plus fusionnelle dans l'amour.

73,4 % des hommes se tiennent à la gauche des femmes. 22,6 % des femmes se tiennent à la gauche des hommes.

C'est dans cette position que la traduction du désir de l'autre est la plus forte. C'est également dans cette position que l'homme marche le plus à la gauche de la femme, la femme à la droite de l'homme. Le lien d'amour est a priori partagé sans ambiguïté. Les deux êtres font l'action de rencontrer le corps de l'autre avec leurs deux mains.

C. Les couples en chiffres

Prise en compte et mesure du conditionnement

Les statistiques:

Côte à côte
53,1 % des hommes se tiennent à la gauche des femmes.
46,9 % des femmes se tiennent à la gauche des hommes.
Main dans la main
57,5 % des hommes se tiennent à la gauche des femmes.
42,5 % des femmes se tiennent à la gauche des hommes.
Par le bras
58,2 % des hommes se tiennent à la gauche des femmes.
41,9 % des femmes se tiennent à la gauche des hommes.
Bras dessus bras dessous
60 % des hommes se tiennent à la gauche des femmes.
40 % des femmes se tiennent à la gauche des hommes.
Par le bassin
64,2 % des hommes se tiennent à la gauche des femmes.
35,8 % des femmes se tiennent à la gauche des hommes.
Par l'épaule
67,2 % des hommes se tiennent à la gauche des femmes.
32,80 % des femmes se tiennent à la gauche des hommes.
Enlacés
73,4 % des hommes se tiennent à la gauche des femmes.
26,6 % des femmes se tiennent à la gauche des hommes.

Il convient de distinguer amplitude et effet de conditionnement.

L'amplitude définira la différence entre deux variations maximales.

L'effet prend en compte la nature du conditionnement symétriquement inverse.

L'amplitude est la différence entre la plus grande et la plus petite valeur d'une distribution statistique. Ici, nous parlons d'amplitude de conditionnement pour mesurer la différence entre une situation de hasard absolu et la situation rencontrée.

Le hasard, sur 20000 couples, devrait voir 50% des femmes se tenir à la droite de 50% d'hommes et 50% d'hommes se tenir à la droite de 50% de femmes. L'amplitude du conditionnement est de:

Les hommes et les femmes côte à côte
53,1-50 = 3,1/50 soit 6,2%

Les hommes et les femmes main dans la main
57,5-50 = 7,5/50 soit 15%

Les hommes et les femmes tenus par le bras
58,2-50 = 8,2/50 soit 16,4%

Les hommes et les femmes bras dessus bras dessous
60-50 = 10/50 soit 20%

Les hommes et les femmes tenus par le bassin
64,2 -50 = 14,2/50 soit 28,4%

Les hommes et les femmes tenus par l'épaule
67,2 -50 = 17,2/50 soit 34,4%

Les hommes et les femmes enlacés
73,4 -50 = 23,4/50 soit 46,8%

L'effet de conditionnement est appliqué aux couples qui restent

L'amplitude du conditionnement permet de mesurer ce qui porte les couples à se distinguer, les hommes à la gauche des femmes et les femmes à la droite des hommes, mais il s'agit de voir également que des couples peuvent être conditionnés exactement de la même manière et dans les mêmes proportions statistiques, les hommes à la droite des femmes, les femmes à la gauche des hommes.

L'effet de conditionnement est suggéré par l'état d'esprit symétrique qui porte systématiquement les hommes à la gauche des femmes et les femmes à la droite des hommes. Il existe en effet des couples qui se tiennent envers et contre tout la femme à la gauche de l'homme, l'homme à droite de la femme.

La détermination du coefficient de conditionnement

Prenons l'exemple des couples enlacés. C'est à partir des êtres les plus amoureux que seront recherchés les couples les plus équilibrés. Ceux qui, malgré leur fort désir de possession amoureuse, laissent le hasard présider au choix de leurs comportements amoureux.

Une fois enlacés, les hommes et les femmes marquent leur engagement maximal l'un envers l'autre.

A priori, donc, si 73,4% des hommes se tiennent à la gauche des femmes et 26,6% des femmes à la gauche des hommes et que, si le hasard prévalait, 50% des hommes et des femmes devraient se tenir à droite et à gauche les uns des autres, cela signifie que 73,4- 50: 23,4/50 soit 46,8% des hommes et des femmes seraient conditionnés à se comporter différemment de la situation du hasard, et que 26,6% des hommes et des femmes seraient conditionnés à se comporter comme ils le font. Il reste toutefois à prendre en compte l'effet de conditionnement lui-même; parce que si certains couples se tiennent l'homme à droite et la femme à gauche en vertu d'un conditionnement symétrique, on peut penser en effet que 26,6% sont conditionnés dans un sens strictement inverse. Il faut donc déterminer un coefficient pour l'imputer au chiffre relevé. C'est à partir de lui que les couples non ou très peu conditionnés seront désignés.

Ainsi, ici:

26,6% de couples (100-73,4) ne sont pas conditionnés à marcher les hommes à la gauche des femmes et les femmes à la droite des hommes. (Parmi ces couples, il est envisageable qu'une proportion de couples comparable aux couples dans lesquels les hommes et les femmes sont placés à la gauche des femmes et les femmes à la droite des hommes soient conditionnés dans un sens symétrique.)

(50/23,4): 2.13. C'est le coefficient que nous allons imputer et qui pourrait représenter l'effet de conditionnement.

C'est cet effet de conditionnement qui porterait des femmes à se mettre quoi qu'il en soit à gauche et des femmes quoi qu'il en soit à droite.

Le pourcentage des couples vraiment équilibrés ou couples rares

26,6/2.13: 12,48 donc 26,6 - 12,48: 14,12%.

Il s'agit donc d'ajouter aux 73,4% de couples enlacés 12,48% de couples symétriquement conditionnés. Il resterait donc 73,4 + 12,48 = 85,88% de couples conditionnés. Les couples bien équilibrés représentant pour nous les couples rares seraient donc: 100- 85,88 = 14,12% soit environ **1 couple sur 7** totalement équilibrés dont le hasard préside au déplacement dans la rue. Les couples équilibrés ou couples rares: 14,12%.

C'est le petit nombre de ces couples qui nous porterait en les évoquant à parler de *couples rares.*

Ce qui veut dire de façon anecdotique que pour un couple sur 14,12%, il est possible de parler vraiment de hasard.

Le conditionnement de base (lorsque rien n'indique que les êtres humains sont amoureux)

Ici, 46,9 % de couples (100-53,1) ne sont pas conditionnés à marcher les hommes à la gauche des femmes et les femmes à la droite des hommes. (Parmi ces couples, il est envisageable qu'une proportion de couples comparable aux couples dans lesquels les hommes sont placés à la gauche des femmes et les femmes à la droite des hommes soient conditionnés dans un sens symétrique.)

(50/3,1) : 16,12 est le coefficient que nous allons imputer et qui pourrait représenter l'effet de conditionnement.

53,1/16,12 = 3,29 . 53,1 + 3,29 = 56,39 : 100-56,39 : 43,61 % de couples totalement équilibrés dont le hasard préside au déplacement dans la rue lorsqu'ils ne sont pas amoureux.

L'effet de conditionnement

Les hommes et les femmes côte à côte

50/3,1 = 16,12

Les hommes et les femmes main dans la main

50/7,5 = 6,66

Les hommes et les femmes tenus par le bras

50/8,2 = 6,09

Les hommes et les femmes bras dessus bras dessous

50/10 = 5

Les hommes et les femmes tenus par le bassin

50/14,2 = 3,52

Les hommes et les femmes tenus par l'épaule

50/17,2 = 2,90

Les hommes et les femmes enlacés

50/23,4 = 2,13

Application de l'effet de conditionnement à la typologie des couples

Les hommes et les femmes côte à côte

50/3,1 =	16,12
46,9/16,12 =	2,85
53,1+2,85 =	55,95 %

Les hommes et les femmes main dans la main

50/7,5 =	6,66
42,5/6,66 =	6,38
57,5+6,38 =	63,88 %

Les hommes et les femmes tenus par le bras

50/8,2 =	6,09
41,8/6,09.=	6,86
58,2+6,86 =	65,06 %

Les hommes et les femmes bras dessus bras dessous

50/10 =	5
40/5,00 =	8
60 +8 =	68 %

Les hommes et les femmes tenus par le bassin

50/14,2 =	3,52
35,8/3,52 =	10,17
64,2+10,17 =	74,37 %

Les hommes et les femmes tenus par l'épaule

50/17,2 =	2,90
32,8/2,90 =	11,31
67,2+11,31 =	78,51 %

Les hommes et les femmes enlacés

50/23,4=	2,13
26,6/2,13 =	12,48
73,4+12,48 =	85,88 %

Annexe 2

POURQUOI LE DÉPLACEMENT LATÉRAL EST-IL LA MANIFESTATION D'UN SYNDROME D'AMOUR ET PAS SIMPLEMENT UN CONDITIONNEMENT AMOUREUX ?

- Un Syndrome est défini comme un ensemble de conditionnements de différentes natures.
- Le Syndrome d'amour affecte le comportement.
- Le Syndrome se désigne par ses manifestations.

Un Syndrome est défini comme un ensemble de conditionnements de différentes natures

Un Syndrome est construit à partir de conditionnements. Or, dans le Syndrome d'amour tel que nous l'avons observé, plusieurs conditionnements sont réunis. Il faut donc que plusieurs phénomènes se produisent:

1. L'amour est au fondement de la relation.
2. L'amour donne le désir de s'approprier l'autre.
3. L'amour se confond avec le besoin d'appropriation.
4. Le besoin d'appropriation peut prendre diverses formes, mais il se marque généralement par:

• la volonté d'apparaître comme le protecteur de la part de l'homme ;

• le désir de se porter garante de la chaleur de la relation de la part de la femme.

5. L'homme et la femme reproduisent des schémas ancestraux.
6. Ils développent une forme de relation qui soit cohérente socialement.

Il faut savoir par ailleurs que :

- Chacun de ces phénomènes en lui-même constitue un conditionnement.
- Chacun de ces phénomènes possède sa propre chaîne causale (ses propres explications quant à son apparition).
- Aucun de ces phénomènes identifiés individuellement ne permet d'identifier le Syndrome d'amour*.
- C'est la fusion de ces chaînes causales qui est identifiée dans le Syndrome d'amour.

* L'assertion qui veut que : « Aucun de ces phénomènes identifiés individuellement ne permet de parler de Syndrome d'amour » est beaucoup plus importante qu'il n'y paraît. Il est indispensable en effet que le Syndrome d'amour ne soit pas lui-même intégré au principe de la démonstration. C'est là un préalable indispensable s'il veut prétendre à une forme de scientificité. Karl Popper et l'école de Vienne ont tenté d'apporter des critères de détermination de la réalité scientifique applicables notamment dans le champ des sciences sociales et humaines. À ce titre, Karl Popper a mis en place un critère de falsification qui, appliqué à toute réalité scientifique, doit permettre de comprendre si cette vérité est une vérité scientifique ou si elle appartient plutôt au domaine du dogme. Le critère

fondé par Karl Popper retient d'autant plus notre intérêt qu'il est pour nous l'un des paramètres nous permettant de fonder la crédibilité de notre démonstration.

Le Syndrome d'amour n'est jamais intégré au principe de la démarche. Très tôt, l'évocation du Syndrome d'amour est avancée et on pourrait envisager à ce moment-là qu'il s'agisse d'un conditionnement. Mais en réalité, toute la deuxième partie évoquant les conditionnements dont est victime le couple n'assimile pas les conditionnements au Syndrome d'amour. C'est l'addition de ces conditionnements qui permet de parler de Syndrome d'amour.

Plus problématique par rapport au critère de falsification évoqué par Karl Popper dans le cadre de cet ouvrage est la référence à l'inconscient et notamment à l'inconscient collectif, particulièrement dans le chapitre 6. Or, cette notion correspond selon les critères poppériens à une réalité dogmatique. L'inconscient n'est pas réellement démontrable comme n'est pas démontrable par ailleurs son inexistence. L'inconscient tel qu'il est employé dans les propos du livre n'est en réalité jamais évoqué comme cause première. À ce titre, il aurait été possible de parler de phénomène non conscient plutôt qu'inconscient. D'ailleurs, une démonstration historique et épistémique de ce qui est affirmé dans le chapitre 2 pourrait tout à fait être établie dans le cadre d'autres travaux. Le terme « inconscient » a été préféré à celui de « non conscient » dans un souci de clarté de lecture.

Des chaînes causales liées à un conditionnement psychologique sont liées à des chaînes causales liées à des *mécanismes neurophysiologiques*. Elles permettent de mesurer un rapport et ensuite une interaction entre des conditions relevant des sciences humaines et des mécanismes cérébraux. Trois mécanismes doivent être différenciés. C'est parce que ces trois mécanismes se mettent en place qu'il va être possible de parler par la suite de Syndrome d'amour.

1. Les neurones sont interconnectés.
2. La partie droite du cerveau gère la partie gauche du corps, la partie gauche du cerveau gère la partie droite du corps.
3. Les deux hémisphères gèrent des activités spécifiques et différentes.

Trois paramètres en rapport avec le cerveau sont indispensables pour comprendre ce qui se passe entre l'homme et la femme lorsqu'ils se déportent dans la rue sans raison apparente à la gauche ou à la droite l'un de l'autre.

- Premièrement, les neurones sont interconnectés. C'est pourquoi, lorsque l'être humain agit, plusieurs types de neurones différents s'activent en même temps.
- Deuxièmement, les émotions et, de manière générale, toutes les activités relatives à la communication ou à la médiation sont davantage gérées par la partie droite du cerveau. Pour leur part, les activités logiques et rationnelles sont davantage orchestrées par la partie gauche du cerveau.
- Troisièmement, la partie droite du cerveau gère l'activité de la partie gauche du corps et de l'espace. Inversement, la partie gauche du cerveau gère l'activité de la partie droite du corps et de l'espace.

Le cerveau détient donc les clés qui fournissent une explication du rapport qui se tisse entre nos émotions et notre déplacement spatial, et ce, pour une seule raison: tous ces paramètres opèrent de concert. Ainsi, l'homme et la femme font des mouvements moteurs, s'organisent et sont également capables d'émotions en même temps. Toutes les activités humaines s'inscrivent dans ce cadre. Motricité, cognition et sensations psychoaffectives ont des répercussions les unes sur les autres. Si les neurones qui permettent l'organisation n'étaient pas connectés ensemble, mon propos se terminerait là, simplement parce qu'il n'y aurait aucune raison pour que les hommes et les femmes changent de position latérale dans l'espace. Il s'agit toujours de faire preuve de prudence et de nuance sur deux plans :

- Les cerveaux de l'homme et de la femme sont différents.
- Les spécificités hémisphériques ne sont pas forcément aussi tranchées qu'elles sont présentées ici.

Il semble, du point de vue des trois paramètres cérébraux, que l'homme et la femme ne soient pas différents. Il ne s'agit pas pour autant de dire que les cerveaux des hommes et des femmes sont absolument similaires. Ils ne le sont pas. Il semblerait que chez les femmes, certaines activités soient davantage gérées dans plusieurs aires du cerveau, notamment certaines fonctions du langage. Il semblerait également que le corps calleux soit de structure un peu différente, mais les mêmes émotions sont bien traitées dans les mêmes zones du cerveau.

Mais il reste que, sur ce plan-là, ils ne sont pas différents. Les femmes ne réagissent pas toujours en ce qui concerne l'espace comme les hommes, mais c'est bien la partie droite de leur cerveau qui gère la partie gauche de leur corps, tout comme c'est le cas pour les hommes. Et l'hémisphère droit est davantage le lieu des émotions, que nous parlions de l'homme ou de la femme.

Et si, « globalement », les émotions sont gérées par l'hémisphère droit et si, globalement, les activités analytiques sont gérées par l'hémisphère gauche, nous percevons bien qu'en réalité, les choses sont plus complexes. Il semble en réalité que l'activité du cerveau soit plus modulaire. Mais cela ne semble pas devoir invalider ce que nous sommes parvenus à repérer.

Un Syndrome affecte le comportement

Une somme de conditionnements avec leurs chaînes causales diverses vont se confondre dans le Syndrome d'amour pour affecter le comportement de l'être humain.

1. La systématicité du comportement exprime le syndrome.
2. Le renforcement du lien physique permet d'affirmer que le syndrome a un rapport avec le lien amoureux.

Même si nous le disons dans le corps de l'ouvrage, il est nécessaire de réaffirmer ici que ce n'est pas le fait que l'homme se mette à marcher à la gauche de la femme et la femme à la droite de l'homme qui permette de dire qu'il se met en place entre eux le syndrome de quelque chose. En soi, un homme et une femme n'ont que deux façons de se tenir l'un à côté de l'autre et il serait un peu fort de dire qu'une de ces deux positions est constitutive d'un syndrome de quoi que ce soit. C'est en réalité le fait que, systématiquement, lorsqu'ils sont plus près l'un de l'autre, ils se déplacent latéralement avec une certaine régularité qui désigne la réalité du syndrome.

Plus ils sont proches l'un de l'autre et expriment leur amour et plus ils se déplacent latéralement; le lien de causalité permet de comprendre que cela a à voir avec l'amour. Certains esprits grognons pourraient objecter que le fait que cela se produise de manière plus tangible encore lorsque l'homme et la femme promènent une poussette devrait nous pousser à évoquer le Syndrome du couple plutôt que le Syndrome d'amour. Effectivement, mais comme, dans l'histoire de la race humaine, le fait que celle-ci se distingue de la race animale par sa fidélité dans la relation amoureuse (eh oui...), cela nous permet de faire de l'amour et du couple, dans certaines conditions, deux synonymes.

Il n'y a guère que les gibbons et deux ou trois autres races avec lesquels nous partageons cette propriété de comportement. Il ne nous semble pas déraisonnable de penser que l'amour humain et le phénomène de couple aient suffisamment à voir l'un avec l'autre pour que le Syndrome d'amour les confonde. Le Syndrome observé montre par ailleurs que toute la difficulté à vivre l'amour pour l'homme et la femme est complètement liée à la volonté d'exister en couple.

La dernière partie de ce livre fait l'hypothèse que le Syndrome d'amour finit par étouffer l'homme et la femme qui le vivent ensemble. Un lien de causalité est établi entre l'étouffement et le fait que les hommes et les femmes vivent seuls, mais l'établissement d'une telle chaîne causale n'est pas lié en tant que tel au Syndrome d'amour. Le Syndrome d'amour expliquerait ce qui est en train de passer. C'est là une hypothèse qui n'est pas consubstantielle à la définition du Syndrome d'amour. Il n'est pas possible de dire que c'est là encore que le choix de stratégies de solitude soit une de ses manifestions, même si nous en avons clairement l'intuition. Telle que l'énonce la définition élaborée, le Syndrome d'amour se définit exclusivement: «*par la crainte irraisonnée d'être quitté. Il modifie le comportement de la personne qui en est atteinte, qui va chercher inconsciemment à se rassurer en modifiant inconsciemment son comportement*».

Un Syndrome se désigne par ses manifestations

1. Un déplacement latéral se produit dans l'espace.
2. Ce déplacement n'est pas conscient.

3. Plus le lien de proximité est grand, plus le déplacement latéral est systématique.
4. Le Syndrome porte l'homme à se déplacer dans l'espace à la gauche de la femme et la femme à la droite de l'homme.

Ces phénomènes constitutifs du Syndrome d'amour sont abondamment décrits dans le corps de l'ouvrage. Il est nécessaire de revenir pourtant sur une assertion qui, pour des raisons de clarté méthodologique, y a été peu décrite: le Syndrome porte l'homme à se déplacer dans l'espace à la gauche de la femme et la femme à la droite de l'homme. Nous pensons qu'un conditionnement inverse moins fort, parce qu'il est moins décelable statistiquement, porte les femmes à la gauche des hommes et les hommes à la droite des femmes. Il existe en effet des couples dans lesquels les mouvements masculins et féminins ont pris le pas sur les principes masculins et féminins. Dans ces couples, les femmes sont clairement dominantes, laissant assez peu percevoir leur ouverture émotionnelle. Les hommes, de leur côté, sont généralement plus doux et réservés, dans tous les actes qui relèvent de la vie de couple. Insérés autrement à l'extérieur, ils peuvent, comme les femmes qui les accompagnent, jouer des rôles différents. Ce conditionnement inverse est pris en compte dans les calculs statistiques dans une part équivalente à ce que représente statistiquement l'homme à la droite de la femme et la femme à la gauche de l'homme. Dans les situations d'exposition amoureuse, le contrôle peut alors prendre une forme totalement inverse. La femme contrôle et l'homme propose sa chaleur au couple.

Annexe 3

LES MOTIVATIONS PROFESSIONNELLES DES HOMMES ET DES FEMMES

Les motivations réelles des hommes et des femmes permettent de mieux comprendre les stratégies relationnelles que ce que l'on croit. Ce ne sont peut-être pas leurs différences cérébrales qui expliqueraient les réactions différentes des hommes et des femmes face aux mêmes réalités, mais des attentes de nature différente en ce qui concerne les mêmes réalités.

À l'étude d'un questionnaire de quelque 180 questions permettant de mesurer leurs normes et valeurs, leurs stratégies relationnelles et leurs stratégies mentales, les hommes et les femmes semblent devoir mettre en œuvre des stratégies différentes pour être heureux principalement parce que leurs choix ne sont pas motivés par les mêmes raisons.

Les femmes semblent moins individualistes que les hommes.

- Les hommes semblent davantage réfléchir en termes d'objectifs.
- Les femmes respectent plus les règles de la vie sociale que les hommes.

- Les hommes recherchent davantage la prise de décision que les femmes.
- Les femmes aiment pratiquer des choix plus consensuels.

Sur la base de l'analyse de ces observations, l'entente entre les hommes et les femmes passerait donc d'abord par un échange approfondi sur le sens des valeurs à privilégier. L'harmonie entre l'homme et la femme doit passer par un échange orienté autour des priorités de la relation. C'est en tout cas ce qu'il ressort de l'analyse aussi bien de leurs valeurs que de leurs stratégies relationnelles.

L'analyse des stratégies relationnelles masculines et féminines a été réalisée grâce à l'outil Profilscan ®. C'est un outil professionnel qui a été mis au point afin de mesurer les complémentarités professionnelles aussi bien dans l'entreprise que dans la vie personnelle. Pour les besoins de cohérence de l'analyse, une norme différente pour les hommes et les femmes a été établie. Les réponses des femmes étaient analysées en comparaison avec un groupe représentatif de femmes, les réponses des hommes par rapport à un groupe représentatif d'hommes.

Outre le critère du sexe, d'autres critères ont été pris en considération, notamment le critère de l'âge, le critère de la situation familiale et le critère de la situation professionnelle. À la suite de quoi une norme hommes a été créée à côté de la norme femmes. C'est de l'examen comparatif de ces deux normes que sont tirés un certain nombre d'enseignements de ce livre.

1. Les règles observées par les hommes et les femmes

Le graphique (ISP) a permis de définir des critères interindividuels, des critères intersubjectifs et des critères interpersonnels.

La norme est définie comme le critère principal auquel renvoie tout jugement de valeur.

- *Les critères interindividuels* mis en œuvre et validés auprès de la population des hommes et des femmes sont : le choix de faire un bilan coûts/avantages avant de prendre chaque décision (c'est-à-dire ce que coûte le fait d'agir et ce qu'il rapporte. Si l'action à entreprendre coûte davantage qu'elle ne rapporte, l'individu n'agit pas ; si l'action rapporte davantage qu'elle ne coûte, l'individu agit). C'est le critère de la rationalité pure.
- *Les critères interpersonnels* sont la prise de l'importance des rôles que nous jouons. Le sens du devoir est au centre des critères interpersonnels.
- *Les critères intersubjectifs* sur lesquels l'individu fonde la légitimité de ce qu'il croit dans la valeur des groupes avec lesquels et dans lesquels il œuvre. Les critères de ces calculs sont le groupe et l'échange est toujours central.

Un être équilibré fonde la réalité de ce en quoi il croit sur ces trois critères. Il doit être à la fois capable de se fixer des objectifs, d'observer les normes et les règles en vigueur et de prendre en compte l'importance des autres à travers le groupe. Cependant, il privilégie toujours certaines règles au détriment d'autres.

La norme comporte des différences intéressantes entre les hommes et les femmes :

I S P Moyennes Femmes

Caractéristique	Indice
Personne	33.73
Individu	33.71
Sujet	32.56

Individu

Sujet Personne

I S P Moyennes Hommes

Caractéristique	Indice
Individu	35.35
Personne	32.90
Sujet	31.75

Individu

Sujet Personne

L'indication fondamentale est d'abord que l'homme et la femme ne sont pas aussi différents qu'on voudrait bien le croire ou le dire. L'écart maximal masculin est de 3,41. L'écart maximal féminin de 0,84. La femme semble plus équilibrée dans le choix de ses normes.

La norme représente une contrainte, car nous verrons que lorsque les motivations sont envisagées, les choix féminins auraient plutôt tendance à ne pas rechercher les comportements relevant de la légalité alors que ce sont ceux-ci qui déterminent les conditions de ses actions.

L'homme et la femme placent tous les deux le groupe en dernière position. Ils nous aident à comprendre ensemble que nous sommes bel et bien, comme le disent ou l'écrivent de nombreux penseurs, installés dans une ère individualiste. En ce qui concerne nos normes, le groupe ne nous contraint plus, comme il aurait eu tendance à le faire dans le passé (alors que notre société était holiste). Ce n'est d'ailleurs pas pour cela que le lien disparaît, comme nous le verrons plus bas à l'examen des motivations féminines.

Les normes masculines sont toutefois plus individualistes que les normes féminines.

La norme définie comme le critère qui préside au jugement de valeur est souvent le garde-fou de l'action. C'est elle qui empêchera une action négative ou valorisera une action à accomplir, mais ce n'est pas autour d'elle que se définira la motivation à l'action. Celle-ci repose sur des critères sans doute plus personnels, plus intimes, dont il ne nous appartenait pas ici d'analyser les fondements, mais qui nous permettent de comprendre mieux quels sont les ressorts de l'action des hommes et des femmes.

2. Les motivations à l'action de l'homme et de la femme

La motivation est envisagée comme le facteur conscient ou inconscient qui porte l'être humain à agir.

Neuf motivations principales nous aident à comprendre comment les hommes et les femmes se déterminent dans leurs choix.

La motivation à se mettre en avant (leader), à s'engager (le battant), à concevoir des solutions nouvelles (concepteur), à concevoir des solutions d'avant-garde (innovateur), à rechercher des solutions normées (normalisateur), à respecter et à renforcer les normes (légaliste); à se réaliser dans les autres (fusionnel), à permettre l'accord (médiateur), à se mettre en situation de prodiguer des conseils (conseiller). La motivation est elle-même définie par ce qui provoque en nous le désir. Le recoupement de neuf questionnaires donne à chaque participant le choix statistique, à partir de neuf motivations entre 362 880 stratégies afin de déterminer ses préférences.

Roue des Motivations Moyennes Femmes

Caractéristique	Indice
Médiateur	13.85
Conseiller	12.66
Concepteur	12.66
Battant	12.66
Fusionnel	11.66
Innovateur	10.01
Leader	9.81
Légaliste	8.41
Normalisateur	8.27

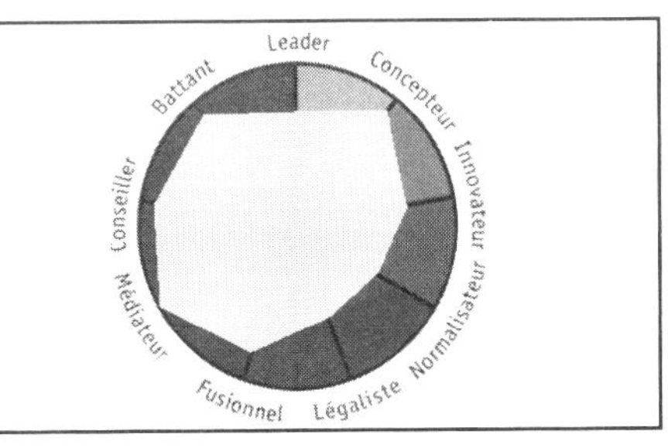

Roue des Motivations Moyennes Hommes

Caractéristique	Indice
Battant	14.16
Leader	13.81
Conseiller	12.15
Médiateur	11.85
Concepteur	10.87
Innovateur	10.60
Fusionnel	9.98
Légaliste	9.33
Normalisateur	7.24

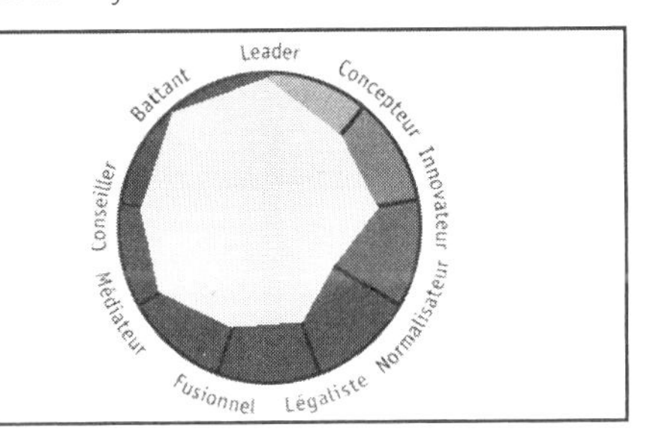

Là encore, l'indication la plus fondamentale est d'abord que l'homme et la femme ne sont pas aussi différents qu'on voudrait bien le croire ou le dire. Ils ont en commun quatre motivations sur neuf (45 %) alors que le hasard absolu aurait voulu qu'ils ne positionnent que 20 % environ de motivations communes.

Le plus gros écart entre l'homme et la femme vient de la position que l'homme prête à l'importance de se mettre en avant et de diriger (leader), qu'il place en 2e position alors que la femme la place en 7e position.

La femme préfère privilégier les stratégies de médiation (médiateur) par rapport à l'homme qui place cette motivation deux rangs plus loin. Ce goût de l'échange est renforcé chez la femme qui place la stratégie fusionnelle deux rangs avant l'homme. Il semble que ces choix soient vraiment chez elle des choix faits avec le cœur, car rien sur le plan des normes ne la porte à privilégier ainsi les stratégies du lien (sur le plan des normes, le sujet vient en effet chez elle en dernière position).

La proximité des motivations masculines et féminines s'exprime encore lorsqu'il s'agit de placer les normes garantes de la sécurité. Les hommes et les femmes placent l'importance de la sécurité au même niveau dans leurs motivations, et c'est à la dernière position. Nous voyons d'ailleurs que, pour faire la différence entre les stratégies masculines et féminines en ce domaine, il faut aller jusque deux chiffres après la virgule. Nous voyons, s'il était besoin de le voir, que la croyance qui faisait de l'homme un chasseur et de la femme un être qui aurait besoin d'être sécurisé ne tient plus dès que l'analyse est un peu rigoureuse. Deux chiffres après la virgule, c'est d'ailleurs l'homme qui a besoin d'être sécurisé.

Ce que nous pouvons dire

- Cette analyse réalisée grâce à un échantillon égal d'hommes et de femmes relevant de toutes les catégories socioprofessionnelles montre que les hommes et les femmes sont beaucoup moins différents dans leurs aspirations que ce que nous avons tendance à croire.
- Que les hommes et les femmes sont plus individualistes face aux normes que ce que l'on pourrait croire.
- Qu'un certain nombre de clichés sur la femme ne tiennent plus à l'examen de la réalité.

- Ces schémas nous amènent à comprendre que, plutôt que d'interroger leurs dissemblances, le fait de travailler au contraire sur leurs ressemblances semble beaucoup plus fécond. Il faut bien en venir au fait que: *les hommes et les femmes se ressemblent.*

Source Profilscan ®: Philippe Turchet, Patrick Carle, 2001
Site Internet à consulter: www.profilscan.com

Bibliographie

ACKERMAN, Diane. *Le Livre des sens*, Paris, Le livre de Poche, 1995.

ANSEMBOURG (d'), Thomas. *Cessez d'être gentil, soyez vrai*, Montréal, Les Éditions de l'Homme, 2001.

APOLLINAIRE, Guillaume. *Alcools*, Paris, Gallimard, réédition, 1998.

ARISTOTE. *Éthique de Nicomaque*, traduction, préface et notes par J. Voiquin, réédition, 1984.

BADINTER, Élisabeth. *L'Un est l'Autre*, Paris, Éditions Odile Jacob, 1986, 360 pages.

BADINTER, Élisabeth. *XY de l'identité masculine*, Paris, Éditions Odile Jacob, 1992.

BATESON, Gregory. *Pour une écologie de l'esprit*, coll. Le Point, Paris, Seuil, réédition, 2 tomes, 1992.

BEACH, F.A. *Sexual attractivity and receptivity in female mammals*, Horm Behavior, 7, 1976, p. 105-138.

BERNSTEIN, I.S., ROSE, TR.M, et GORDON, T.P. *Behavioral and Environmental Events Influencing Primal Testosterone Levels*, Human Evol, 1974, pp. 517-525.

BORKOVEC, T.D., Stone, N., O'Brien, G., Kaloupek, D. *Identification and Measurement of a Clinically Relevant Target Behavior of Analogue Research*, Behavior Therapy, 5, 1995, pp. 503-505.

BOURDIEU, Pierre et DARBEL, Alain. *L'amour de l'art*, Paris, Les Éditions de Minuit, nouvelle édition revue et augmentée, 1979, 251 pages.

BOURDIEU, Pierre. *La distinction*, Paris, Les Éditions de Minuit, 1979, 665 pages.

BOURDIEU, Pierre. *La domination masculine*, Paris, Seuil, 1998.

BOURDIEU, Pierre. *La reproduction*, Paris, Les Éditions de Minuit, 1970, 385 pages.

BOURDIEU, Pierre. *Le sens pratique*, Paris, Les Éditions de Minuit, 1979, 474 pages.

BOURDIEU, Pierre. *Questions de sociologie*, Paris, Les Éditions de Minuit, 1983, 277 pages.

BRACONNIER, Alain. *Le sexe des émotions*, Paris, Éditions Odile Jacob, 1996, 209 pages.

BRUCKNER, Pascal et Finkielkraut, Alain. *Le nouveau désordre amoureux*, coll. Essais, Paris, Seuil, 1977, 317 pages.

CASPI, A. et HARBENER, E.S. «Continuity and Change: Assortive Marriage and Consciency of Personality in Adulthood», *Journal of Personality and Social Psychology*, 58, 1990, pp. 250-258.

CHALVIN, Dominique. *Utiliser tout son cerveau*, Paris, Éditions ESF, 1995, 247 pages.

CORNEAU, Guy. *La guérison du cœur*, Montréal, Les Éditions de l'Homme, 1999.

COSNIER, J. et BROSSARD A. *La communication non verbale*, Lausanne, Delachaux et Niestlé, 1993.

DAMASIO, Antonio. *L'erreur de Descartes*, Paris, Éditions Odile Jacob, 1995, 358 pages.

DAMASIO, Antonio. *Le sentiment même de soi*, Paris, Éditions Odile Jacob, 1999.

DENNETT, Daniel. *La conscience expliquée*, Paris, Éditions Odile Jacob, 1994, 358 pages.

DUMONT, Louis. *Homo hierarchicus*, Paris, Gallimard, 1996.

DUMONT, Louis. *L'ère de l'individualisme*, coll. Idées, Paris, Gallimard, 1970.

ECCLES, J.-C. *Évolution du cerveau et création de la conscience*, Paris, Fayard, 1992.

EKMAN, P. et FRIESEN, W. *Manual for the facial action code*, Palo Alto, Consulting Psychologits Press, 1982.

ELSTER, Jon. *Ulysse et les sirènes, Essai sur les limites de la rationalité*, Paris, Éditions des P.U.G, 1983.

ETCHEGOYEN, Alain. *Éloge de la féminité*, Paris, Seuil, 2000, 145 pages.

FERRY, Luc. *L'Homme-Dieu ou le sens de la vie*, Paris, Grasset, 1996, 247 pages.

FESTINGER, Léon. *The Human Legacy*, Columbia University Press, 1983.

FLANDRIN, Jean Louis. *Famille, parenté, maison, sexualité dans l'ancienne société*, Paris, Seuil, 1976.

FLEET, Richard. *La séduction, vérités et mensonges*, Montréal, Libre expression, 2000, 262 pages.

FOLKES, V.S. «Forming relationships and the matching hypothesis», *Personality and Social Psychology Bulletin*, 1982, n° 8, pp. 631-636.

FOUCAULT, Michel. *Histoire de la folie à l'âge classique*, coll. Tel, Paris, Gallimard.

FOUCAULT, Michel. *Histoire de la sexualité*, Paris, Gallimard, 1984.

FREUD, Sigmund. *La naissance de la psychanalyse*, trad., Paris, PUF, 1969.

GAZZANIGA, Michel. *Le cerveau social*, coll. Opus, Paris, Éditions Odile Jacob, 1996.

GAZZANIGA, Michel, RICH, Ivry Georges et MANGUIN R. *Neurosciences cognitives. La biologie de l'esprit*, De Boeck, Université, 2001.

GOLEMAN, Daniel. *L'intelligence émotionnelle*, Paris, Éditions Robert Laffont, 1997, 422 pages.

GRAY, John. *Les hommes viennent de Mars, les femmes de Vénus*, Paris, Éditions J'ai Lu, 7133.

GRAY, John. *Mars et Vénus sous la couette*, Paris, Éditions J'ai Lu, 2000, 250 pages.

HALL, Edward. *La dimension cachée*, coll. Points, Paris, Seuil, 1978.

HARVEY, Joan et Katz, Cynthia. *Sous le masque du succès*, Montréal, Le Jour, éditeur, 1986, 215 pages.

HITE, Shere. *Le rapport Hite*, Paris, Éditions Robert Laffont, 1977, 586 pages.

ITARD, Jean-Marc Gaspard. *Rapports et mémoires sur le sauvage de l'Aveyron*, Paris, Alcan, 1894.

KANT, Emmanuel. *Fondements de la métaphysique des mœurs*, rééd., Paris, Vrin, 1980, 153 pages.

KEKENBOSCH, Christiane. *La mémoire et le langage*, Besançon, Nathan Université, 1994, 125 pages.

KRISTEVA, Julia. *Histoires d'Amour*, coll. Essais, Folio, Paris, 1985, 247 pages.

KUNDERA, Milan. *La Valse des adieux*, Paris, Folio, 1984.

LABONTÉ, Marie Lise. *Au cœur de notre corps*, Montréal, Les Éditions de l'Homme, 2000, 154 pages.

LAMAGNÈRE, Franck. *Manies, peurs et idées fixes, Connaître les T.O.C et les soigner*, Paris, Éditions Retz, 1994, 160 pages.

LANGANEY, André, CLOTTES, Jean et SIMONNET, Dominique. *La plus belle histoire de l'homme*, Paris, Seuil, 1998.

LEDOUX, Joseph. «Emotional memory System in the brain», *Behavioral and brain research*, 58, 1993.

LEVENSON, R. *et al.* «Volontary facial Action generates emotion specific autonomous nervous system activity», *Psychology*, 27, 1990.

MALLESTA, C. Z., CULVER, C., TESMAN, J., SHEPARD, B. «The development of emotion, expression during the first two years life», *Monographs of the society for search in child development*, 50, 1-2, série, 219, 1989.

MALSON, Lucien. *Les enfants sauvages*, coll. 10-18, Paris, Éditions U.G.E., 1983, 247 pages.

Mc Lean, Paul. *The triune brain in evolution*, New York, Plenum, 1990.

Mendoza, Jean-Louis. *Cerveau droit cerveau gauche*, coll. Dominos, Paris, Flammarion, 1995.

Mermet, Gérard. *Francoscopie*, Larousse, 1997, 435 pages.

Montagner H., Schaal, B. *et al.* «Étude expérimentale de la perception des odeurs spécifiques par le bébé», *Reprod, Nutr, Develop.*, vol XX, 1980, pp. 843-848.

Montagner, H., Henry, J.-C., Lombardot. M., *et al.* «Sur les différenciations de profils chez les enfants de 1 à 5 ans à partir de l'étude des communications non verbales», *Psychomotricité*, vol. 1, pp. 53-88.

Platon. *Le Banquet*, rééd., Paris, Flammarion, 1964, 187 pages.

Poissant, Louise. *Le paradoxe amoureux*, Montréal, Éditions Merlin, 1990, 236 pages.

Reich, Wilhelm. *Écoute petit homme*, Paris, Éditions Payot, 1974.

Richmond, V.P., McCroskey, J.-C., Payne, S.K. *Nonverbal Behavior in interpersonal Relations*, 2e édition, New Jersey, Prentice Hall, Englewood Cliffs, 1991.

Schelling, Thomas. *La tyrannie des petites décisions*, Paris, PUF, 1977.

Shorter, Edward. *La naissance de la famille moderne*, traduction française, Paris, Seuil, 1977.

Tomatis, Alfred. *L'oreille et la vie*, Paris, Éditions Robert Laffont, 1987.

Tomatis, Alfred. *L'oreille et le langage*, Paris, Éditions Robert Laffont, 1991.

Turchet, Philippe. *La synergologie*, Montréal, Les Éditions de l'Homme, 2000, 314 pages.

Turchet, Philippe. *Les êtres rares*, Montréal, VLB Éditeur, 2001, 106 pages.

Vincent, Jean Denis. *Biologie des passions*, Paris, Éditions Odile Jacob, 1986, 345 pages.

Watzlawick, Paul. *La réalité de la réalité*, Paris, Seuil, 1973.

Watzlawick, Paul. *Une logique de la communication*, Paris, Seuil, 1972.

WILKES, Frances. *Les émotions : une intelligence à cultiver*, Paris, Chrysalide, le Souffle d'or, 2000, 350 pages.

WILSON, Edward O. *On human nature*, Harvard University Press, 1978.

ZELDIN, Théodore, *Histoire des passions françaises*, coll. Points Histoire, Paris, Seuil, (5 volumes), 1976.

Table des matières

Contact Europe :

Philippe Turchet
PROFILSCAN Développement
Le Pyramide - 210, rue Ingénieur Sansoube
74800 La-Roche-sur-Foron (France)
tél. (+33) 613 31 77 45
téléc. (+33) 450 97 75 90
pturchet@msimond.fr

Contact Amérique du Nord :

Communication Vocalyse
4444, rue Rivard
Montréal
H2J 2M9 (Canada)
Tél. (514) 985-9635

SYNERGOLOGIE.COM

Courriel : synergologie@msimond.fr
Internet : www.synergologie.com

PROFILSCAN.COM **TESTEZ-VOUS.COM**

Cet ouvrage a été achevé d'imprimer
au Canada en février 2002.